Letras Hispánicas

Sin rumbo

Letras Hispánicas

Eugenio Cambaceres

Sin rumbo

Edición de Claude Cymerman

SEGUNDA EDICIÓN

CÁTEDRA

LETRAS HISPÁNICAS

1.ª edición, 1999
2.ª edición, 2005

© Ediciones Cátedra (Grupo Anaya, S. A.), 1999, 2005
Juan Ignacio Luca de Tena, 15. 28027 Madrid
Depósito legal: M. 43.177-2005
ISBN: 84-376-1740-5
Printed in Spain
Impreso en Anzos, S. L.
Fuenlabrada (Madrid)

Índice

INTRODUCCIÓN 9

1. La Argentina de los años 1880 11
2. La generación del 80 14
3. El naturalismo y sus avatares 18
4. Cambaceres: semblanza biográfica 25
5. Las cuatro novelas y su circunstancia histórica 30
6. Conclusiones 52

ESTA EDICIÓN 63

BIBLIOGRAFÍA 65

SIN RUMBO 73

Primera parte 75

I 77
II 80
III 83
IV 87
V 93
VI 97
VII 98
VIII 103
IX 105
X 107
XI 111
XII 116
XIII 119
XIV 120
XV 129
XVI 130

XVII	135
XVIII	140
XIX	143
XX	147
XXI	152
XXII	154
XXIII	157
XXIV	159
XXV	162
XXVI	167
XXVII	169
XXVIII	172
XXIX	175
XXX	179
XXXI	183
XXXII	190
Segunda parte	197
XXXIII	199
XXXIV	203
XXXV	209
XXXVI	210
XXXVII	211
XXXVIII	213
XXXIX	216
XL	219
XLI	224
XLII	226
XLIII	229
XLIV	231
XLV	233

Introducción

Eugenio Cambaceres.

1. La Argentina de los años 1880

Cuando un buen día del año de gracia de 1843, en el seno de la familia Cambaceres, ve la luz Eugenio Modesto de las Mercedes, su país natal es un estado embrionario y retrasado, sometido al yugo sanguinario de un déspota absolutista y retrógrado, Juan Manuel de Rosas. Durante su gobierno, éste había mantenido el país en un estado de subdesarrollo y de repliegue sobre sí mismo durante el cual la barbarie ahogaba la civilización y el terror institucionalizado hacía las veces de método gubernativo[1].

A la caída de Rosas en 1852 —Eugenio tiene tan sólo nueve años...—, los liberales argentinos vuelven del exilio y dan a conocer al país las ideas avanzadas adquiridas gracias a sus lecturas de los enciclopedistas o de los autores románticos, sus viajes y, en líneas generales, su conocimiento de las teorías progresistas o socializantes europeas o norteamericanas. El liberalismo triunfa entonces en el Río de la Plata, a pesar de un período de diez años de inestabilidad política que opone a los

---

[1] Desde la independencia del país y el período de inestabilidad que siguió, dos bandos antagónicos e inconciliables se disputaban el poder, los *unitarios*, partidarios de un gobierno central, abiertos hacia Europa (excluyendo a España) y favorables al capitalismo inglés o francés, que representaban a la alta burguesía porteña y defendían el liberalismo en el doble plano político y económico, y los *federales*, apegados a la autonomía de las provincias, herederos de la mentalidad colonial española, que encarnaban sobre todo al caudillismo provincial y sostenían con métodos totalitarios el localismo nacionalista y proteccionista. Los principales escritores proscritos, como Sarmiento o Mármol, harán de la ciudad el símbolo de la civilización y equipararán al gaucho y la Pampa con la barbarie. (Cfr. Domingo F. Sarmiento, *Facundo. Civilización y barbarie,* Madrid, Cátedra, 1990.)

partidarios de un poder federal y a los adeptos de un estado centralizado, dirigido desde Buenos Aires. Durante esos diez años, Urquiza, el vencedor de Rosas, ha fomentado la agricultura, la ganadería y la importación y exportación de productos, instalado el primer ferrocarril y la primera línea telegráfica, desarrollado la enseñanza primaria, estimulado la inmigración. En 1862, fecha en que Urquiza es derrotado por Mitre, Argentina se sitúa pues en el polo opuesto del país sometido y retrasado que Cambaceres había encontrado al nacer. Si la primera infancia del futuro escritor se desarrolló en una atmósfera enrarecida, poco abierta a las ideas avanzadas, su adolescencia y su juventud, la edad en que se forma y se fragua el espíritu, iban a ser testigos del desarrollo material y cultural de Argentina. Además, configurando la imagen de la Argentina moderna, el país se ha abierto al capital y al trabajo extranjeros, atrayendo las inversiones de la Europa rica —inglesa, francesa...— y la mano de obra de la Europa pobre —Italia y España principalmente. De hecho, sin embargo, el nuevo liberalismo económico sirvió sobre todo para que una clase social específica —la oligarquía a la que pertenecía Cambaceres— se hiciera con el poder y tratara en adelante de conservar su posición hegemónica, con todos los privilegios que le venían asociados.

A fines del 62, Mitre asume la presidencia de la República. El nuevo presidente, dado tanto a las letras y a la historia como a las armas y a la política, desarrolla la obra de su predecesor y refuerza la unidad del país. Desgraciadamente, la guerra de la Triple Alianza, iniciada contra el Paraguay, no sólo asoló la nación vecina, sino que llenó de deudas a la misma Argentina. En 1868 es elegido Sarmiento, que defiende las luces de la civilización contra el oscurantismo de la barbarie (de hecho, contra el gaucho en el que veía un obstáculo al avance del progreso). Continúa la obra de sus predecesores y funda la instrucción laica para todos. Bajo su presidencia es cuando Cambaceres ejercerá su propia actividad política y luchará, él también, para que prevalezcan sus ideas liberales.

Con Avellaneda, que sucede a Sarmiento entre 1874 y 1880, progresarán aún más el comercio, la agricultura, la ganadería y la industria naciente, gracias, en particular, al fomento de la inmigración. Con la ayuda de su ministro de la Guerra, el general Roca, llevará a cabo la «conquista del desierto» sobre los indios, haciendo que la tierra de éstos pasara de hecho a manos de latifundistas. Y al término de su mandato, la designación de Buenos Aires como «capital federal» señalará un definitivo cambio de rumbo político y socioeconómico, no sólo en las estructuras de la ciudad, sino en las de la nación entera. La decisión de «federalizar» Buenos Aires, que la provincia y el partido nacionalista impondrán a los autonomistas bonaerenses, se tornará en menoscabo de los primeros al desarrollarse considerablemente la joven capital en detrimento del resto del país. El aumento de la población de la urbe (en razón principalmente de la inmigración europea), el desarrollo de los barrios nuevos y la extensión consiguiente del perímetro urbano (una epidemia de peste, surgida en 1871, contribuyó a implantar en el Barrio Norte la nueva burguesía, abandonando los barrios sureños al subproletariado de la inmigración), el embellecimiento general de la ciudad (en su trazado, su arquitectura, su decoración), todo contribuye a hacer de Buenos Aires una ciudad moderna, «europea», prestigiosa y atractiva. Simultáneamente, resulta cada día más evidente la distorsión entre la civilización que parece simbolizar la capital y la barbarie que representan todavía las provincias alejadas. La desproporción entre, por una parte, la riqueza, el poderío y el dinamismo de Buenos Aires, y, por otra parte, la pobreza, la pasividad y los retrasos técnicos del interior, parece amplificarse, si bien la introducción de nuevos métodos agropecuarios, la construcción de ferrocarriles, la conquista del desierto y la utilización del alambre de púas (que alejan ambos o hacen desaparecer al indio y al gaucho) modifican sensiblemente la fisonomía de la Pampa, la extensa planicie que rodea Buenos Aires. La oligarquía y los capitalistas argentinos y extranjeros viven en la urbe o en las ricas estancias de sus aledaños y tienen la vista fija en la capital que les aparece como la vitrina americana del modernismo europeo. Y cuando el general Roca asume el poder entre 1880 y 1886, las clases dirigentes del país creen discernir, en un presidente cuya divisa era «paz y administración», la garantía de un orden burgués, resueltamente orientado hacia el progreso civilizador. De hecho, Roca acentuará todavía más el dinamismo económico y los progresos técnicos, urbanísticos y arquitectónicos de la flamante capital que quiere en adelante competir con la Ciudad Luz y ser el París de América Latina. Se construye el puerto de Buenos Aires y se remodela el centro de la capital. En el interior, se funda la ciudad de La Plata y se edifican grandes frigoríficos que van sustituyendo los viejos saladeros que habían hecho la fortuna de la familia Cambaceres. Se puede decir que, bajo la presidencia de Roca, y con el apoyo de la oligarquía y de la *intelligentsia* (que llegaron entonces a confundirse), la capital alcanzará el apogeo de su poderío y la Argentina moderna quedará definitivamente establecida. Esta presidencia significa también el advenimiento de una nueva burguesía capitalista que se va agregando a la vieja oligarquía criolla. Sin embargo, ya empezaban a asomarse los cuatro males mayores que ensombrecerían el panorama idílico de los 80 y harían tambalear en 1890, bajo la presidencia de Juárez Celman, cuñado de Roca, el edificio político, social, económico y moral: el peso de la deuda externa, la corrupción de la administración, la especulación de tierras y los fallos de la política inmigratoria. La extraordinaria transformación de Argentina y, más que nada, de su capital —gracias, en particular, al aporte de ingentes capitales extranjeros— viene reflejada lógicamente en la literatura contemporánea, la que se conoce bajo el nombre de «generación del 80». A esta generación pertenece Cambaceres y en este decenio es cuando redacta y publica sus cuatro novelas.

2. La generación del 80

La expresión viene aplicada, lógicamente, a los escritores argentinos que publicaron sus primeras grandes obras en el transcurso del decenio. Se dice «generación del 80» como decimos, por ejemplo, «generación del 98». Pero ocurre que aquellos escritores del 80 eran ante todo abogados, legisladores, periodistas, diplomáticos o militares —generalmente cumulaban varias de estas profesiones—, como lo fueron Mansilla, Wilde, Cané, López, García Mérou y el mismo Cambaceres. Aquellos hombres, tan brillantes en el foro como en la tribuna, eran *también* literatos. Y eran todos, o casi todos, unos políticos de alto vuelo, acostumbrados a tener entre sus manos, como lo habían hecho a menudo sus padres o sus abuelos, los destinos de la patria. Y los que no pertenecían a la clase dirigente (Martel, Villafañe, Sicardi, Podestá, Argerich, Ocantos) sabían identificarse con ella. De hecho, más que en las manos de la democracia, estaban los destinos de la nueva República en el poder de una oligarquía ilustrada. La obra de los escritores del 80 lleva estampada la nostalgia de un pasado glorioso del que se siente heredera, y esto desde la conmovedora mirada de Cané sobre sus aventuras de adolescente, sus *juvenilia,* en la novela que lleva el mismo nombre, hasta la simpática evocación por López de la *gran aldea* de sus años mozos, pasando por las memorias de un Mansilla que hacen revivir su historia, la de su padre o de su familia, de sus relaciones o de sus interlocutores. Pero si se muestran legítimamente orgullosos de un pasado vinculado al de su familia, que se remonta a veces hasta la época de la Independencia, no se quedan, sin embargo, pasivos o contemplativos. Su meditación es positiva y su acción se vuelve hacia el porvenir y el progreso, sinónimo éste de civilización, por oposición a la barbarie de Rosas o de la provincia. La mayoría de ellos pertenece a la oligarquía argentina de formación reciente y procedente de la burguesía revolucionaria, como López, de la burguesía comerciante porteña y unitaria, como Cané o, aunque menos, de la burguesía latifundista, provincial y federal, como Mansilla. Son a la vez criollos nacionalistas e imitadores de todo lo francés, empezando por la lengua que salpica sus *causeries* y sus escritos. En el fondo son todos ellos unos aristócratas y unos *gentlemen,* o sea, unos privilegiados de la sociedad y del espíritu, unos príncipes de la elegancia y del esteticismo, situándose a igual distancia del hombre de bien del siglo XVII y del mundano del XVIII. Aquella distinción aristocrática aparece en todas sus manifestaciones sociales y privadas, materiales y espirituales, en su indumentaria y en sus modales, en sus comidas y en su vivienda, en sus lecturas o en sus colecciones, en sus reuniones del Club del Progreso, sus veladas en el teatro Colón o sus viajes a París, en sus aficiones lujosas y en su mismo elitismo. «La distinción engendra un tipo social muy característico del año 80, el *dandy*, y un cuadro adecuado, el *club*», pudo escribir Noé Jitrik[2].

Generación de aristócratas, de estetas y de diletantes, es también una generación de escépticos, de librepensadores y de anticlericales. Cané confiesa así su ateísmo personal *(Juvenilia)*. Mansilla maneja contra la Iglesia la ironía y el humor *(Entre-nos)*. López ataca a los sacerdotes con toda la ferocidad de la sátira caricaturesca de un Quevedo *(La gran aldea)*. Wilde ve en la Iglesia una fuerza reaccionaria y retrógrada, enemiga del progreso y de la independencia de los pueblos *(Cuestiones graves)*.

En política, aquellos hombres son generalmente republicanos, a imitación de su modelo francés. Pero republicanismo no significa socialismo y Cané nos recuerda, por ejemplo, que, dentro de las instituciones republicanas, se sitúa del lado de la aristocracia. Ante todo son positivistas y adeptos del liberalismo económico y del libre cambio que al permitir la exportación de productos manufacturados han favorecido el desarrollo del país y la prosperidad de las clases privilegiadas.

Representantes eclécticos de la oligarquía y del poder, productos adelantados, cultos y enciclopédicos de una civilización refinada a lo europeo, los hombres del 80 encontrarán un derivativo en la literatura. Pero escribirán sobre todo para sus pares, para los otros representantes de la elite, o sea, para una minoría de lectores. Las ediciones que saldrán entre 1880 y 1889 alcanzarán tiradas muy limitadas, de tan sólo trescientos a quinientos ejemplares por lo común. Esa literatura será una literatura de diletantes para otros diletantes. En cuanto a los temas evocados, expresarán éstos la ideología de un grupo. Y este mismo grupo se verá aludido en los personajes o en los hechos descritos en las obras. La acción no saldrá del marco estrecho de una minoría y de una selección de clase.

La primera motivación que parece mover a escribir a aquellos hombres es su mismo ocio y, corolario del mismo, el tedio o el esplín. «[Escribo] para no aburrirme más de lo que

---

[2] *El 80 y su mundo*, Buenos Aires, Jorge Álvarez, 1978, pág. 17.

me aburro. Porque han de saber ustedes, señores, que yo me aburro enormemente», señala Mansilla[3]. Y Cambaceres apunta por su parte: «Vivo de mis rentas y nada tengo que hacer. Echo los ojos por matar el tiempo y escribo»[4]. El acto de escribir aparece desde ese momento como un pasatiempo, como un remedio al aburrimiento y como un modo de elevarse por encima de las bajas contingencias del mundo...

Literatura de una minoría, la producción de los escritores del 80 será también por lo general (exceptuando precisamente a Cambaceres) una literatura menor. Los géneros cultivados pueden fácilmente calificarse como tales: autobiografías, crónicas, libros de viaje, cuentos, ensayos, misceláneas. A menudo, la narración, sin pretensión, simple prolongación de conversaciones de club, adopta, en su modo de escribir campechano que refleja la expresión oral, los giros de esa misma conversación —*Causeries del jueves*, o sea, charlas, en francés, es el subtítulo de *Entre-nos* de Mansilla— que subraya lo que toda esa literatura tiene de anticonvencional, de nuevo, de personal, de ligero y que demuestra que se trata evidentemente de una producción de diletantes para quienes la literatura no es más que un lujo, un acto gratuito, un adorno fútil que se añade a lo que sitúa el individuo, el nacimiento, la profesión o la función, el poder económico.

En la Argentina del 80 el teatro no existe y si la poesía cuenta con varios cultores, ninguno de ellos pertenece a la «generación del 80» propiamente dicha. La novela, por su parte, está en pañales y apenas si han visto la luz del día novelas históricas, imitaciones de Walter Scott o de los románticos franceses (citemos *La novia del hereje*, 1840-1855, de Vicente Fidel López; *El capitán de Patricios*, 1843, de J. M. Gutiérrez; *Soledad*, 1847, de Mitre; sobre todo, *Amalia*, 1851, de J. Mármol). De hecho, nuestros escritores descubrirán la novela pero, fuera de algunas obras aisladas, no le concederán la importancia que cabía esperar. En el decenio del 80, la novela más leída en Argentina sigue siendo la novela europea, y, es-

---

[3] *Entre-Nos*, Buenos Aires, El Ateneo, 1930, págs. 222-223.
[4] Prólogo de *Potpourri*.

pecialmente, la novela naturalista francesa heredada de las teorías literarias de Émile Zola. Un examen detenido de la prensa de aquellos años demuestra que en cuanto salía en un diario parisiense un folletín naturalista, su próxima publicación en un periódico porteño y, a veces, provinciano venía rápidamente anunciada. Tampoco se demoraban las traducciones y su publicación en forma de libro. Los mismos libreros de la Capital Federal anunciaban y exponían en sus escaparates, nada más llegar en el último barco, las últimas publicaciones de Zola, Maupassant y sus discípulos franceses. A su vez, las polémicas surgidas en Francia, a propósito del naturalismo tenían una amplia e inmediata repercusión en la capital argentina. Como se ve, ésta vivía entonces a la hora del naturalismo francés.

3. El naturalismo y sus avatares

Heredado en parte de Flaubert y de los hermanos Goncourt, apareció en Francia hacia 1870 como la continuación y el perfeccionamiento del realismo. De éste conserva en particular la preocupación por la realidad, común a todos los escritores realistas, el análisis de hechos sociales, propio de Balzac y Stendhal principalmente, la importancia del «estudio» para los Goncourt, la observación minuciosa, la compilación de documentos y la información metódica, características del autor de *Madame Bovary*. Zola, además, inspirándose del autor de la *Comedia humana* que había reflejado en su obra la imagen de la sociedad francesa bajo el Primer Imperio y la Restauración, pretende representar en las veinte novelas que constituyen el conjunto de los *Rougon-Macquart,* esa *Historia natural y social de una familia bajo el Segundo Imperio,* la sociedad francesa de la misma época.

Pero el naturalismo no se para ahí. A las características del realismo asocia unos principios y un método inspirados de los grandes estudios y descubrimientos científicos e históricos del siglo XIX y que pueden resumirse en cinco o seis grandes datos: evolucionismo y determinismo darwinianos; leyes de la herencia definidas por el doctor Lucas; preeminencia de la fisiología sobre los sentimientos y las emociones, según Letourneau; influencia de la raza, del medio ambiente y del momento sacada de Taine; aporte insustituible de la experimentación, ilustrado por Claude Bernard; espíritu positivista y científico, fe en el hombre y en el progreso humano, inspirados por Auguste Comte. El vocablo *naturalismo,* que se difundirá tan sólo a partir de 1880, con motivo de las polémicas que mantendrá Zola con sus adversarios, traduce originalmente la voluntad de reproducir con fidelidad la *naturaleza* en la obra literaria o artística, así como la de aplicar a la literatura y al arte el método que el sabio *naturalista* aplica a las ciencias *naturales.*

Zola ha resumido su teoría de la *novela experimental* en el ensayo que lleva el mismo nombre. Ahí define el término, desarrolla su teoría y expone el mecanismo de su método.

> Una novela experimental es, simplemente, la verificación de la experiencia que el novelista repite a la vista del público. En suma, toda la operación consiste en tomar los hechos en la naturaleza, luego en estudiar el mecanismo de los hechos al influir sobre ellos modificando las circunstancias y los medios sin alejarse jamás de las leyes de la naturaleza. Es innegable que la novela naturalista, tal como la entendemos ahora, es una experiencia verdadera que el novelista hace sobre el hombre, ayudándose de la observación[5].

Ahí es donde aparece más la fragilidad de la argumentación de Zola y donde la fe del escritor se muestra más ingenua. ¿Cómo podría en efecto el novelista *experimentar* acerca de lo que no es más que una *ficción,* resultado de una pura creación de su *imaginación?* Por más que oponga el autor de los *Rougon-Macquart* a las *novelas de pura imaginación,* las *novelas de observación y experimentación,* bien sentimos todo lo que esa fórmula encierra de artificial y de vano.

Por tanto, la influencia del maestro del naturalismo estriba sobre todo en los méritos de su producción narrativa, más en

---

[5] *La novela experimental,* París, Garnier-Flammarion, reed. 1971, págs. 62-65 (la traducción es nuestra).

todo caso que en sus teorías cuya pertinencia se puede discutir con motivo. Sólo se salva de todo ese andamiaje rocambolesco la teoría de la herencia y del medio, la que Cambaceres tratará, precisamente, de aplicar en *Sin rumbo* y en *En la sangre*.

Ahora bien, al querer experimentar las leyes de la herencia y al intentar demostrar el determinismo de los fenómenos, Zola ha dado entrada en su obra a los casos más interesantes desde un punto de vista biológico y médico, o sea, los casos patológicos. En el árbol genealógico de los *Rougon-Macquart*, la rama de los Macquart procede así de una madre neurótica y de un padre alcohólico. Y en esa familia, los seres anormales son más numerosos que los individuos sanos. Alcoholismo, histeria, imbecilidad congénita, demencia, son las taras más corrientes que nos presenta el árbol genealógico de la familia. Nada extraño, por lo tanto, que la crítica sólo haya visto o haya querido ver en la novela naturalista la pintura de las taras sociales o de los individuos aquejados de esas taras. En última instancia, algunos detractores del naturalismo no han vacilado en asimilar la pintura verista de las enfermedades o de las afecciones psíquicas o fisiológicas a unos cuadros y un lenguaje crudos y atrevidos, o incluso pornográficos y obscenos, y han pretendido que Zola y el naturalismo habían erigido la indecencia y la inmoralidad en sistema. En suma, la crítica contemporánea y la posteridad no han guardado en la memoria más que los excesos del naturalismo o, por lo menos, sus consecuencias más vistosas. La influencia del movimiento, sin embargo, sobrepasa considerablemente el alcance de las críticas que le fueron dirigidas, y Cambaceres no pudo menos que recibir su impacto en Argentina y, sobre todo, en Francia misma a lo largo de los cuatro viajes que emprendió a Europa entre 1871 y 1889. Ya en los seis años que precedieron a su primera estancia en París, varias obras maestras realistas o prenaturalistas habían llamado la atención. En 1865 salía *Germinie Lacerteux*, de los hermanos Goncourt, en 1867 y 1868 *Thérèse Raquin* y *Madeleine Férat*, de Zola, en 1869 *La educación sentimental*, de Flaubert. Y en el momento en que el futuro escritor argentino desembarcaba en Francia en 1871, Zola empezaba la serie de los *Rougon-Macquart* con la publicación de

La fortuna de los Rougon. En total, durante los dieciocho años que coinciden con las idas y venidas de Cambaceres a Francia y a Europa, al ritmo aproximado de una novela por año, Zola había tenido tiempo de publicar los dieciséis primeros volúmenes de la serie, varias adaptaciones teatrales de sus novelas y —entre 1879 y 1881, precisamente— todos sus libros polémicos de teoría y crítica literarias: *La novela experimental, El naturalismo en el teatro, La República y la literatura,* etcétera.

Entre 1874 y 1888, Alfonso Daudet producía, por su parte, sus ocho grandes novelas, mientras Flaubert escribía *La tentación de San Antonio* (1874), *Tres cuentos* (1877), *Bouvard y Pécuchet* (póstumo, 1881) y Edmond de Goncourt publicaba *La ramera Elisa* (1877). Es decir, que durante los dieciocho años en que Cambaceres residió, en repetidas ocasiones, en Europa, y especialmente durante los seis años en que se lanzó a la empresa literaria, Francia vivía a la hora del realismo y del naturalismo.

El naturalismo, además, estaba conectado directamente con la sociedad contemporánea o inmediatamente anterior. Los cambios profundos que se realizan bajo el Imperio y bajo la República o con motivo del tránsito de un tipo de sociedad a otro, las transformaciones sin precedentes que sufre la sociedad francesa en el plano social, económico, financiero, técnico, urbanístico, la misma lucha de clases, vienen evocados por Zola a lo largo de su obra.

El naturalismo, por otro lado, se ajusta a la gran corriente ideológica optimista de fines del XIX que, confiada en los descubrimientos de la ciencia y en los adelantos de la nueva tecnología al servicio del hombre, persuadida de que la República positivista es portadora del progreso indefinido, le promete a la humanidad una nueva edad de oro. El movimiento literario se beneficia del mismo optimismo y de la misma boga y Zola llega a pensar que la novela experimental puede llegar a reformar o a transformar el mundo.

El pesimismo, sin embargo, no está del todo ausente del movimiento naturalista en la medida en que éste quiere ser el fiel reflejo de su medio y de su momento histórico. Ha sido llevado así a interesarse por las teorías pesimistas y nihilistas de Schopenhauer («el *[sic]* glacial y terrible nada de las doctrinas nuevas», apunta Cambaceres) que empezaban a divulgarse en Francia a finales de los años 70[6] y que pueden considerarse en lo literario como la prolongación del «mal del siglo» romántico o del «esplín» baudelairiano[7]. Por otro lado, su estricto determinismo y su fe absoluta en las leyes de la herencia lo convencen de que el hombre no es dueño de su destino. Es así como personajes neuróticos y depresivos formarán parte del vivero humano de la creación naturalista. Zola, por ejemplo, incluirá en *La joie de vivre* (1884) a un neurótico, acosado por la idea de la muerte, tan pronto ilusionado como descorazonado, y Cambaceres hará del protagonista de *Sin rumbo* el típico maniático depresivo, hastiado y nihilista, antecedente del (anti)héroe conflictivo moderno, o sea, por un lado, del Bardamu de *Voyage au bout de la nuit* de L. F. Céline y del Roquentin de *La Nausée* sartreana, y por otro, del Erdosaín de la narrativa arltiana y del Oliveira de *Rayuela*. El pesimismo heredado de Schopenhauer alimentará además otra vertiente, paralela y a la vez derivada del naturalismo, el *decadentismo,* presente en *À Rebours*

---

[6] De hecho, las teorías del filósofo alemán habían sido introducidas ya en Francia gracias a un artículo de P. Challemel-Lacour titulado «Un bouddhiste contemporain en Allemagne, Arthur Schopenhauer» *(Revue des Deux Mondes,* 15/9/1870) y un ensayo de Théodule Ribot, *La Philosophie de Schopenhauer* (París, Baillère, 1874). En 1878, Edme Caro publicó en la editorial Hachette de París *Le pessimisme au XIXe siècle: Leopardi, Schopenhauer, Hartmann* que contribuyó a poner de moda el pesimismo del alemán al resumir su tesis, *El mundo como voluntad y representación*... «Ya que todo es voluntad en la naturaleza y en el hombre, todo sufre; el esfuerzo es la misma esencia de la voluntad, luego todo esfuerzo es dolor.» Por otro lado apareció en 1880 una sección de escritos de Schopenhauer traducidos por J. Bourdeau bajo el título *Pensées, maximes et fragments* (París, Baillère) y Huysmans alude a aquél en su novela *À Rebours.* Lo más probable es que Cambaceres haya conocido el pensamiento de Schopenhauer a través de la novela de Huysmans publicada en 1884 (un año antes que *Sin rumbo)* y de la traducción de Bourdeau, tal vez también por el intermediario del ensayo de E. Caro. (Cfr. Marc Fumaroli, edición crítica de *À Rebours* de Joris-Karl Huysmans, París, Gallimard, 1977, págs. 428-429, notas 124 y 125.)

[7] En cierta medida, incluso, esta corriente nihilista puede aparecer como la reacción de mentalidades acráticas y esteticistas frente a la ideología oficial cientificista y positivista y a la fe gregaria y burguesa en el progreso indefinido, encarnada en literatura por Homais, Bouvard o Pécuchet, tres personajes de la creación flaubertiana.

(1884) de Joris-Karl Huysmans, uno de los integrantes —con Guy de Maupassant, Paul Alexis, Henry Céard y Léon Hennique— del famoso *Grupo de Médan*, constituido por los discípulos más cercanos a Zola. También esta vertiente decadentista, constituida de desprecio altanero por un lado, de una voluntad de originalidad y refinamiento (no desprovista de cierto esnobismo) por otro, se encuentra en el protagonista de *Sin rumbo*. La novela cambaceriana auténtica y totalmente naturalista (empezando por el mismo título) será la última, *En la sangre*. Sin embargo, la voluntad de adscribirse fielmente a los preceptos de la escuela zoliana son evidentes en el mismo subtítulo de *Sin rumbo: estudio*. Así quería Zola que fuera la narrativa naturalista: un estudio de la sociedad y de la naturaleza humana.

El alcance del naturalismo, a pesar de la saña de sus detractores, llega mucho más allá de las fronteras de Francia para invadir progresiva pero certeramente a buena parte de Europa y, más lejos aún, a Argentina, donde desata una acre polémica entre los mismos integrantes de la «generación del 80». Para Miguel Cané, por ejemplo, «el naturalismo de Zola exige el retorno constante al vocablo soez, a la pintura que da asco. Los ejes de esa máquina se aceitan con pus»[8]. A lo cual le contesta anticipadamente el mismo Cambaceres que «la exhibición sencilla de las lacras que corrompen el organismo social es el reactivo más enérgico que contra ellas puede emplearse»[9]. Por su parte, García Mérou, adversario al comienzo de la teoría y de la práctica zoliana, termina elogiando el naturalismo y las novelas de Cambaceres. Puede parecer extraño que, fuera de Europa, Argentina sea el país donde más impacto han causado las teorías naturalistas. Entre las múltiples razones aducidas notemos: la ausencia de una verdadera tradición narrativa en el Río de la Plata, la influencia notable ejercida por la literatura, la edición y la prensa francesas, los frecuentes viajes a Europa de la *intelligentsia* argentina y, sobre todo,

---

8 Folletín de Sud América: Miguel Cané: «Los libros de Eugenio Cambaceres. A propósito de *Sin rumbo*», *Sud América*, 30 de octubre de 1885.

9 *Potpourri*, 3.ª ed., «Dos palabras del autor».

23

tal vez, la coincidencia del desarrollo del naturalismo con los cambios profundos que afectaban a Buenos Aires y a la nación en sus mismas estructuras. En efecto, las transformaciones que conmovían a Argentina eran rigurosamente paralelas y casi simultáneas en el plano político. La revolución de 1880 y la capitalización de Buenos Aires pueden equipararse al paso, en Francia, del Imperio a la República en 1871. En cuanto al progreso económico, el prodigioso desarrollo de las técnicas, la revolución urbanística —el intendente Torcuato de Alvear actúa, en Buenos Aires, del mismo modo que el barón Haussmann en París—, los cambios sociales —influenciados, en el Plata, por un factor específico, el de la inmigración, portador, precisamente, de influencias europeas— se producen ineluctablemente con diez, quince o veinte años de desfase cronológico, según el caso. Dado que el terreno era el mismo, que los aportes franceses recibían la misma acogida favorable, que las mismas causas tenían que producir los mismos efectos, el naturalismo debía necesariamente prosperar en Argentina. Y de hecho, con el debido retraso, las obras inspiradas, en parte por lo menos, en las teorías zolianas o en el ejemplo vivo de los *Rougon-Macquart,* empiezan a florecer a partir de 1884. Citemos: *Inocentes y culpables,* de Argerich (1884); *Ley social,* de García Mérou (1885); *Irresponsable,* de Podestá (1889); *La bolsa,* de J. Martel (1891); *Quilito,* de Ocantos (1891); *Horas de fiebre,* de Villafañe (1891); *Libro extraño,* de Sicardi (1891-1902) o, incluso, *Nacha Regules,* de Gálvez (1919). Y, claro está, las obras del mismo Cambaceres, quien proclama en alguna ocasión su adhesión a la escuela naturalista —a la que llama realista—, lo cual no significa una adhesión ciega y sistemáticamente imitativa a la doctrina, sino reelaboración consciente y expresión libérrima. Estas modalidades nuevas y personales, que reaccionan contra un acatamiento absoluto a las influencias europeas de moda y lo alejan del objetivismo impersonal del realismo y del naturalismo en boga, contribuirán a hacer de Eugenio Cambaceres no sólo un escritor profundamente original, sino el auténtico creador de la novela argentina y el mismo precursor de la narrativa argentina moderna.

24

4. CAMBACERES: SEMBLANZA BIOGRÁFICA

4.1. *Filiación y años mozos*

Si bien Cambaceres no desciende —al revés de lo que se ha venido diciendo durante mucho tiempo— del convencional y archicanciller de Napoleón I, Jean-Jacques Cambacérès, no es menos cierto que su abuelo paterno fue un primo lejano del convencional. Incluso, por ser este abuelo algo calavera y libertino, el mismo Jean-Jacques se hizo cargo de la educación del padre de Cambaceres, Antonio. Nació éste en 1801 en Nîmes (Francia). A falta de informaciones más precisas, podemos pensar que continuó en París unos estudios secundarios empezados en Nîmes y que consiguió en la capital francesa su diploma de bachiller. Su afición a las ciencias lo llevó a entrar en el laboratorio del famoso químico Chevreul, autor de una notable *Teoría de los colores* que inspirará a los pintores impresionistas y, sobre todo, de unas *Investigaciones químicas sobre los cuerpos grasos de origen animal*. Dichas investigaciones le serán muy provechosas porque, habiendo decidido probar fortuna en las márgenes del Río de la Plata donde llegó en 1829, se consagrará a la industria naciente de los saladeros y, transformando las técnicas de conservación de las carnes, contribuirá a enriquecer el país, enriqueciéndose él mismo.

Se casó al poco tiempo de pisar el suelo argentino. Su esposa, Rufina Alais, nacida en Buenos Aires, era probablemente de origen inglés. Perfectamente integrada en la buena sociedad porteña —como lo demuestra su título de presidenta de la Sociedad de Beneficencia y Misericordia—, fue, al parecer, un modelo de bondad y de caridad.

El matrimonio tuvo cuatro hijos: dos varones y dos mujeres. El hijo mayor, Antonino Ciriaco —1833-1888—, ocupó una posición envidiable en el *establishment* bonaerense, llegando a ser presidente del Banco de la Provincia, presidente de la sociedad de ferrocarriles argentinos y vicepresidente del Senado.

Eugenio, por su parte, nació en Buenos Aires el 24 de febrero de 1843. No fue bautizado hasta año y medio después, el 4 de septiembre de 1844, en la iglesia Nuestra Señora de la Merced, bajo el nombre de Eugenio Modesto de las Mercedes.

De su enseñanza elemental sabemos muy poco, sólo que estudió bajo la férula de un preceptor o de un maestro. Adolescente, cursó estudios secundarios en el famoso Colegio Nacional de Buenos Aires que acogió en sus aulas a todos los prohombres de la Argentina del siglo pasado. Más adelante se graduó en la Facultad de Derecho de Buenos Aires, sacando en 1869 el título de «Doctor en Jurisprudencia». Y sabemos por su condiscípulo Pedro Goyena que fue un «estudiante distinguido por el método expositivo de sus exámenes»[10].

4.2. *El mundano y el político*

Se negó a ser abogado (lo cuenta con notable gracia en el prólogo a su primera novela, *Potpourri)* por falta de vocación y, también, porque su situación económica holgada no le obligaba a ganarse la vida. Una afición natural al diletantismo y a la *dolce vita* hizo muy pronto de él un *dandy* o, para hablar como ahora, un *play-boy*. Era sobre todo lo que en el Buenos Aires galicista de los años setenta y ochenta se daba en llamar un *causeur* —o sea, un «conversador», como lo sería más tarde en España un Ramón Gómez de la Serna—, viviendo a todo tren y recibiendo en su hotel particular a la flor y nata de la *intelligentsia* y de la oligarquía porteñas. Demuestra un gran interés por la literatura y las artes plásticas, el teatro y la música. Forma parte, a veces con responsabilidades elevadas, de cuantos clubes o asociaciones cuentan en la vida cultural, política o, simplemente, mundana de la futura Capital Federal. Destaquemos, como más significativas, su adhesión al selectísimo Club del Progreso —donde llegó a desempeñar los cargos de secretario y de vicepresidente— y su afiliación a la logia masónica Unión del Plata, donde se

---

[10] *La Unión,* 11 de noviembre de 1882.

inició a los veintitrés años. En 1870 se lanza a la política, siendo elegido diputado —tiene veintisiete años— a la Cámara de la Provincia de Buenos Aires (1870-1871) y a la Convención Reformadora de la Constitución (1870-1873). En esta última asamblea pronuncia un notable discurso, de clara orientación progresista, favorable a la libertad de culto y a la inmigración extranjera. En 1874 resulta elegido al Congreso Nacional. Allí se señala con otro discurso, temerario y escandaloso, ya que el nuevo diputado no vacila en denunciar los fraudes electorales en los que ha incurrido su propio partido, terminando por pedir la anulación de las elecciones. Un eco de su actuación y de las reacciones consiguientes aparecerá en *Potpourri*. Desilusionado por la actuación de los partidos, deja la política en 1876, renunciando ipso facto a su escaño parlamentario.

En ese mismo año, Eugenio Cambaceres es protagonista de un incidente que echa una luz curiosa sobre su vida mundana y... sentimental. En mayo había llegado a Buenos Aires la gran soprano Emma Wizjiak que debía debutar en el teatro Colón cantando en *La Africana*, de Verdi. Un idilio debió de empezar entre la soprano —casada— y el donjuán que era en aquel entonces Cambaceres. La prensa local se hace eco, en repetidas ocasiones, de las locuras del «millonario» para con la cantante. Algunas semanas más tarde, nos enteramos de que el marido de Emma Wizjiak ha desafiado al amante después de descubrir el adulterio en un palco del Colón. En definitiva, el esposo engañado embarca para Europa mientras su mujer... se queda en Buenos Aires hasta el término de su contrato. Es muy posible que el pequeño escándalo, que llegó a hacerse público debido a la categoría de los protagonistas y a la «eficacia» de los medios informativos, haya incidido en la decisión de Cambaceres de dar término a su carrera política, como a la de dejar, en febrero de 1877, la codirección y la redacción del gran diario liberal porteño *El Nacional* que venía desempeñando desde 1874. El caso es que —¿ingenuidad o provocación?— Cambaceres llevará a la literatura el episodio escandaloso, entrando éste en el argumento de su tercera novela, *Sin rumbo*.

27

4.3. *El misántropo y el escritor*

Su padre y su madre, a quienes —a la madre, sobre todo— demostró siempre un gran amor filial, fallecieron en 1875 y 1878, respectivamente. Estos acontecimientos, sumados a los fracasos políticos y, hasta cierto punto, sentimentales, complicados, además, por un estado de salud deficiente y un momento de zozobra económica, debieron de influir negativamente en el estado de ánimo de nuestro hombre que perderá a fines del decenio su buen humor mundano y sus aficiones sociales, versando en adelante en el pesimismo y en la misantropía de los cuales su obra literaria será el patente testimonio. Alternará su vida entre su palacete de Buenos Aires y su lujosa estancia pampeana y, también, largos viajes a Europa, pero sin escribir y sin dar que hablar de sí durante un período de cinco años (mediados del 76-mediados del 81).

El 23 de julio de 1881 publica Cambaceres en *El Nacional*, bajo el seudónimo de *Tin-Khé*, una reseña de la representación en el teatro Colón de *Mefistófeles*, de Boito, reseña en la que vierte su refinado conocimiento del arte musical y los elementos de una prosa suelta, incisiva, salpicada de vocablos o giros franceses, que llegará a ser una de las características de su estilo.

El 7 de octubre de 1882 sale en Buenos Aires, sin nombre del autor, la primera novela de Cambaceres, *Potpourri-Silbidos de un vago*. El anonimato, las claves que encierra la obra, la feroz critica a la burguesía porteña le aseguran un éxito escandaloso y desatarán acerbas polémicas, al mismo tiempo que le valdrán unas tiradas hasta entonces desconocidas en Argentina. Anuncia incluso la prensa porteña la próxima salida de una réplica a la novela que se publicaría bajo el titulo de *Ladridos de un perro*.

Al día siguiente de publicarse la novela —lo que no contribuirá poco a aumentar el escándalo—, Cambaceres ha embarcado para Europa con su querida, Luisa Bacichi, una artista a quien llevaba unos diecisiete años. Ahí reparte su tiempo entre París, donde consulta a menudo a su médico, y Niza, donde procura restablecer su salud tambaleante. Es que ha sufrido ya los primeros ataques de la tuberculosis pulmonar que había de llevarle a la tumba siete años más tarde.

Alude en su correspondencia a su amigo Miguel Cané a las prendas morales de su compañera de «cabeza rubia, buena, cariñosa y fiel hasta lo hondo»[11]. El 31 de mayo de 1883 nace en París la hija natural de ambos, Eugenia-Rufina. Es muy posible que la vida en concubinato de nuestro hombre de mundo con una artista y el nacimiento ilegítimo de su hija hayan contribuido a irritar contra el primero a la buena sociedad porteña y a aumentar el desprecio y el encono de éste contra esa misma sociedad.

En junio o julio de 1884, Cambaceres publica, anónimamente, su segunda novela, *Música sentimental*. El título parece poco logrado. Tal vez se deba a que se le adelantó un imitador —presumiblemente un oscuro poeta español, de apellido Suárez Orozco— que publicó en París poco antes, con el título de *Música celestial* y bajo el seudónimo de «Ráscame-Bec» —anagrama evidente de Cambaceres— una obra de contenido insulso que pretende rivalizar con la inspiración genuina de nuestro autor. A los pocos días, Cambaceres embarca para Argentina donde atraca el 29 de julio con Luisa Bacichi y, presumiblemente, su hija. La primera edición de la obra, comprada por un librero de Buenos Aires, se agotó rápidamente.

El 20 de octubre de 1885, sale en Buenos Aires la tercera novela del autor, *Sin rumbo*. Su subtítulo, «Estudio», implica una mayor elaboración que las dos primeras y, sobre todo, un evidente parentesco ideológico con la novela experimental y naturalista de Zola, muy de moda en Argentina como en Europa. Tres mil ejemplares se vendieron en quince días, cifra considerable entonces para una novela argentina.

Entre el 12 de septiembre y el 14 de octubre de 1887 sale en folletín en el diario porteño *Sud América*, precedida de una eficaz y hábil publicidad, la cuarta novela de Cambaceres y la más ceñida a los cánones naturalistas, *En la sangre*. La publica-

---

[11] Carta del 8 de diciembre de 1882.

ción le vale al diario vespertino un aumento de mil quinientos lectores, otra cifra significativa para la época.

Poco antes, repitiendo una actitud adoptada ya cuando el lanzamiento de *Potpourri*, Eugenio había embarcado nuevamente para Europa. Y unas semanas después de su llegada, el 17 de noviembre de 1887, se casaba secretamente en París con Luisa Bacichi. Tan secreta debió de ser la ceremonia que muchos biógrafos hacen del escritor, hasta sus últimos días, un solterón con espolones...

En París, y a pesar de su enfermedad, lleva Cambaceres una vida activa. El Gobierno de su país le nombra delegado de la Comisión oficial encargada de representar al Gobierno argentino en la Exposición Universal de París de 1889, cargo que desempeñará con una eficacia y un espíritu de entrega dignos de los mayores elogios. Estas responsabilidades terminarán con sus últimas fuerzas. El 5 de enero de 1889 redacta en París su testamento ológrafo. El 5 de mayo, impulsado por el deseo de volver a ver su tierra natal, embarca para Buenos Aires. Llega el 26, con su mujer y su hija. Después de una corta agonía, muere en la Capital Federal el 14 de junio de 1889.

5. LAS CUATRO NOVELAS
Y SU CIRCUNSTANCIA HISTÓRICA

5.1. *Las dos primeras novelas de Cambaceres*

Potpourri (1882) es la sátira, bajo todos los conceptos, de la buena sociedad porteña a la que Cambaceres reprocha su inmoralidad y su hipocresía. Los protagonistas, Juan y María, una pareja de recién casados, son los representantes típicos de aquella sociedad. Después de año y medio de aparente felicidad, los dos esposos se engañan mutuamente, preocupándose tan sólo por salvaguardar las apariencias. Esta crítica del matrimonio y, singularmente, de la mujer (el marido queda extrañamente perdonado...) parece llevar la marca del fracaso del novelista en el plano sentimental. En 1882, Cambaceres es un solterón empedernido a quien sus pasadas aventuras de donjuán han llevado al desencanto y a la misoginia. Para él, la mujer viene a ser, por su inconstancia y su doblez, el principal responsable del fracaso del matrimonio. Las otras mujeres de *Potpourri* son de la misma calaña: amorales e hipócritas todas, venales e infieles las más. Una esconde, detrás de una fachada de señora virtuosa, una actividad de Celestina; otra, casada con un vejestorio, cuenta los días que separan a éste de su óbito; otra oculta el envenenamiento de su marido bajo el disfraz de un título de presidenta de una sociedad filantrópica; otra aún, procedente de la buena sociedad porteña, queda embarazada por obra de un doméstico.

Las críticas de Cambaceres no se limitan a las mujeres y al matrimonio. Se extienden también a las costumbres políticas que imperan en los años 1870-1880. En un curioso capítulo titulado «Farsa republicana en cuatro actos», vitupera el mundo político que se le opuso en 1871 y 1874, denunciando mezcladamente al Parlamento y al Gobierno, a los partidos políticos y a los representantes del pueblo, al mismo pueblo pretendidamente soberano y sobre todo a los «traficantes políticos» cuyas fechorías camufladas tras la máscara del patriotismo son la causa de la anarquía y del descrédito asociados a la imagen de la República. Entre aquellos ambiciosos incluye, aunque sin nombrarlos explícitamente —pero la alusión debía de resultar obvia a los lectores de la época—, a sus principales adversarios políticos, Mitre, el ex presidente de la República, y Tejedor, ex gobernador de la provincia de Buenos Aires.

Conforme a la gran tradición instituida por los grandes autores satíricos españoles, Cambaceres zahiere también a los representantes de numerosas profesiones con quienes se ha rozado especialmente: abogados (calificados de «diablos en toga»), médicos (ineptos o dañinos), diplomáticos (irresponsables), comerciantes (ladrones), periodistas (insípidos o mentirosos), domésticos (estúpidos), sacerdotes (mujeriegos)... No deja impunes tampoco a los súbditos de varios países: mientras los argentinos aparecen vanidosos, los ingleses son codiciosos, los italianos patrioteros, los españoles tradicionalistas. Los franceses escapan todavía a la crítica...

Cambaceres ataca a la sociedad desde dentro, como quien la conoce, la vive, saca de ella su cultura y, en parte por lo menos, su placer. Condena a esa sociedad, pero, si se mira bien, sólo condena sus errores, sus desviaciones. *Potpourri* aparece, si se quiere, como la sátira de la sociedad descarriada. Pero el escritor no censura sólo a los aristócratas pervertidos. De hecho fustiga sobre todo a los impostores, a los advenedizos, o sea, a la burguesía trepadora, a los que se desviven por tomar el lugar de los que los han precedido en lo alto de la escala social.

Si no siempre se muestra solidario de sus pares, Cambaceres escribe para ellos (no para el pueblo) y defiende de paso los mismos ideales, los valores eternos de la sociedad burguesa. No debemos olvidar, sin embargo, que ha sabido demostrar en el pasado, con sus valerosas tomas de posición en el Parlamento, unas inclinaciones liberales que contradecían las tendencias dominantes de su clase. Podemos, sin vacilar, calificar su actitud de reformista, incluso si este reformismo tiene un alcance limitado, en la medida en que ignora la existencia de las clases populares.

El interés de *Potpourri* no se limita, por lo demás, a su aspecto satírico. La obra cobra un valor documental al traer a la memoria la vida social de una capital en plena transformación. Su geografía es la de la ciudad activa, con sus elegantes negocios y sus lugares de placer. Se nota que el escritor está enamorado de su urbe, en particular de sus centros aristocráticos como el teatro Colón o el Club del Progreso. El Buenos Aires que subsiste de esa decantación es la capital vista por un aristócrata y un sibarita. Es la capital elegante del mundo elegante. En este sentido, la ciudad y la sociedad que la crea y que emana de ella cobran un valor positivo.

En cambio, la pintura del campo queda limitada y tiene un alcance esencialmente negativo. Cambaceres nos da aquí una caricatura sarcástica de los campesinos —cualquiera que sea su ocupación o su posición social—, vistos como seres ante todo vulgares y groseros. En este sentido el campo aparece, no sólo como la antítesis de la ciudad sino también como la antinomia de la civilización. De hecho, Cambaceres, como estanciero adinerado, al tanto de los hechos del campo, sin mostrar indiferencia respecto a él, prefiere la ciudad, terreno de acción natural de un *dandy* y de un *clubman* que quiere situarse frente a la incultura del criollo al afirmar su cultura de origen europeo.

Su cultura y su origen europeos, Cambaceres los demuestra elocuentemente en su lengua, al recurrir constantemente al uso de términos extranjeros. Si las expresiones latinas deben mucho a las humanidades del autor, si las palabras italianas revelan más bien su amor del *bel canto,* los giros franceses, de lejos los más numerosos, traducen a la vez los orígenes franceses del novelista, su práctica de la lengua de Molière —particularmente en razón de sus largas estancias en Francia— y, más aún, su voluntad de reflejar en la conversación o en la escritura una educación aristocrática, ya que, para las mentalidades argentinas de la época, el francés aparecía como la lengua de los espíritus cultos y, para decirlo todo, de la oligarquía. Esa característica de su estilo, complicada por el uso deliberado de galicismos, confiere a su prosa una expresividad, un sabor y un humor verdaderamente fuera de lo común y es una de las originalidades más marcadas del autor de *Potpourri.* Si se le añaden otras características —ligereza y concisión de la frase, tono a menudo paródico, recurso frecuente a la metáfora, ironía y expresividad del texto— vemos que se trata de un estilo hablado cuya modernidad llama la atención y atrae irresistiblemente al lector.

Música sentimental (1884), si bien se vincula con la tónica general de la anterior novela, marca, sin embargo, una evolución en el estilo. Nos cuenta las aventuras en Francia de un rastacuero argentino, Pablo, y el amor desinteresado hasta la abnegación que le dedica una ex prostituta, Loulou, inspirada evidentemente por el modelo de la *Dama de las Camelias,* de Alejandro Dumas hijo.

En el plano estructural, la obra es mucho más narrativa que *Potpourri.* Cambaceres se preocupa en adelante de hacer la intriga más consistente, de nutrir la psicología de los personajes, de pulir el estilo. La sátira, por su parte, tiene tendencia a desaparecer o a limitarse a la crítica de las nacionalidades. Cambaceres critica así el afán de lucro de los franceses. Su condenación, sin embargo, se tiñe de la admiración que siente por los representantes de una nación que, hace cien años o más, representaba para los argentinos el modelo admirado y envidiado. Al revés, el novelista acusa más aceradamente a los argentinos por lo común fatuos, vanidosos y tontamente orgullosos de sus orígenes geográficos.

La sátira de las mujeres se limita en adelante a las prostitutas que pueblan la noche parisiense. La opinión del novelista con respecto a las otras mujeres demuestra un cambio total de su parte, cambio que podemos atribuir a su nueva situación sentimental al lado de Luisa Bacichi. En su «rehabilitación» del sexo femenino llega a hacer de una ex meretriz una mujer enamorada, humilde, fiel, arrepentida, capaz, en su deseo de redención, de sacrificarse por su amante enfermo y de arriesgarse a morir para salvarle. En la nueva óptica del escritor es el hombre quien, en adelante, es acusado por su egoísmo, su ingratitud o su crueldad. La muerte de su amante y la indiferencia de la sociedad arrojarán de nuevo a Loulou en el mundo del vicio y de la perdición. Así, las mujeres que se nos mostraban en *Potpourri* como las cómplices de una sociedad amoral aparecen aquí como las víctimas de esta sociedad. El mal, una vez más, habrá triunfado de la virtud. Y el pesimismo de Cambaceres habrá vencido al optimismo relativo que pareció un momento haberse apoderado de él.

Este mismo pesimismo impregna parcialmente la pintura de la ciudad. En el momento en que componía *Música sentimental,* Cambaceres luchaba contra los primeros ataques de la tuberculosis. Algunas descripciones sombrías que nos da de un París invernal, ciertas alusiones al frío de la capital en particular (que recuerdan algunos pasajes de sus cartas a Miguel Cané), son significativas del impacto del clima en el físico debilitado del novelista y del estado depresivo del mismo.

Al revés, la percepción y la pintura de la naturaleza son, no sólo más serenas, sino más entusiastas. Incluso, *Música sentimental* parece indicar el momento en que la admiración por la ciudad se trueca en comprensión con respecto al campo. El paisaje de Mónaco es así motivo de risueñas descripciones en que estallan la fina sensibilidad del escritor y sus dotes de poeta inspirado, que acumula en algunas páginas imágenes brillantes y rebuscadas. En otras páginas, la evocación de la Pampa, agobiada por el calor de una tarde de verano, demuestra una potencia evocadora y sugestiva difícilmente superable. El novelista, por el lugar que le concede en adelante al paisaje, aparece como un precursor en la literatura argentina y anuncia las páginas inspiradas de *Sin rumbo* o de las novelas de Payró, Güiraldes, Larreta y otros.

En cambio, cuando se trata, ya no de pintar un paisaje, sino de descubrir la anatomía patológica del protagonista, el novelista recurrirá a la técnica naturalista que será el primero en importar en Argentina. *Potpourri*, ya, presentaba unas taras sociales comparables con las que Zola exhibe a lo largo de los *Rougon-Macquart* y especialmente en *Pot-Bouille* cuyo título parece haber inspirado el de *Potpourri*. Pero *Música sentimental* añade a esos casos unas nociones médicas o seudocientíficas sobre la evolución de una enfermedad, la sífilis. Aquí, la descripción de la dolencia alcanza tal grado de perfección en la expresividad horrenda que evoca irresistiblemente las fuertes páginas consagradas por el novelista francés a la descomposición del cuerpo de Naná. Eugenio Cambaceres no duda, en ocasiones, en recurrir a términos crudos u obscenos e incluso a efectos eróticos o sádicos que le reprocharán agriamente sus contemporáneos.

Esa evolución hacia una técnica literaria más rigurosa que la que asomaba tan sólo en *Potpourri* se encuentra en otros planos: intriga más estructurada, personajes más verdaderos en el plano psicológico, descripciones y relatos más elaborados, desaparición de las referencias autobiográficas, estilo más pulido. Indudablemente la obra, si bien pierde en espontaneidad lo que gana en elaboración, demuestra una maduración del arte cambaceriano. En *Sin rumbo* esa narrativa alcanzará la plena madurez.

5.2. *La inmigración extranjera*

Un año y medio, nada más, separa *Música sentimental* de *Sin rumbo* y, sin embargo, notamos en la temática de las dos obras un cambio fundamental, que se acentuará notablemente con la cuarta novela, *En la sangre*.

¿Cómo explicar ese cambio? Sucede que, a pesar de las apariencias, la situación política, económica, social del país se ha degradado. Cuatro elementos, esencialmente, han influido en ese deterioro de las condiciones de vida. En primer lugar, la ingente deuda externa, la creciente inflación monetaria, la emisión incontrolada de papel moneda, originarán la crisis económica de 1890, el crac bursátil, la quiebra de empresas y, al final, la caída del presidente Juárez Celman.

En segundo lugar, la arbitrariedad, el favoritismo, la corrupción, el soborno, que habían llegado a ser la norma dentro de los ministerios y de las esferas gubernamentales, acelerarán la descomposición de la sociedad.

En tercer lugar, la conquista del desierto sobre los indios, la expatriación del gaucho, la implantación del ferrocarril, la partición de la Pampa, delimitada en adelante por el alambre de púas, tienen su contrapartida: la plusvalía de las tierras, el nuevo interés prestado al campo, la multiplicación de los terratenientes, desatarán una especulación sin precedentes.

En cuarto lugar es de destacar, como elemento determinante, el fenómeno de la inmigración de la mano de obra extranjera que, con un promedio de cien mil entradas anuales en su apogeo, llegó a duplicar la población argentina y a triplicar la de Buenos Aires. Cambaceres, hijo de inmigrado él mismo, había sido, dieciséis años antes de publicar *En la sangre*, un ferviente partidario de esa inmigración que le parecía capaz de «contribuir al aumento de la riqueza nacional y de labrar a la vez la prosperidad y el engrandecimiento de la República Argentina»[12]. Muy pronto había de desengañarse al comprobar que los resultados conseguidos no correspondían en nada a lo que él había esperado[13]. Puede decirse que la implantación de

---

[12] Discurso del 18 de julio de 1871.

[13] Cambaceres no fue el único, entre los intelectuales argentinos, en cambiar de opinión con respecto a la inmigración. Sarmiento, quien profetizaba en el *Facundo* (1845) que «la República doblará su población con vecinos activos, morales e industriosos», exclama en 1887 «¡Qué desilusión nos ha valido la inmigración extranjera!» *(El Censor,* 12/7) y «Lo más atrasado de Europa, los campesinos y gente ligera de las ciudades es lo primero que emigra» *(El Diario,* 8/9). Y Alberdi, quien proclamaba en las *Bases* (1853) que «Gobernar es poblar», no duda en afirmar en *Peregrinación de Luz del Día* (1871) que «poblar es apestar, corromper, embrutecer, empobrecer el suelo más rico y más salubre, cuando se le puebla con las inmigraciones de la Europa atrasada y corrompida». Como se ve, tres grandes escritores argentinos, otrora fervientes partidarios de la inmigración, coinciden más adelante en pensar que los resultados no son los esperados.

inmigrados fue un fracaso, al menos parcialmente, debido sobre todo a que, nada más terminarse la Conquista del desierto, la mayoría de las tierras fértiles habían sido atribuidas a los jefes militares y a la oligarquía latifundista. Sólo les quedaba a los recién llegados emplearse en el campo como arrendatarios o peones. La inmigración había sido concebida para poblar el interior del país: no hizo más que acrecentar la especulación de tierras. Contribuyó sobre todo a sobrepoblar la capital con —circunstancia agravante— el aporte de una mano de obra sin calificación que muy pronto desembocó en el desempleo y, ocasionalmente, en la delincuencia. Y los que tenían una calificación disputaron sus empleos a los criollos que, en adelante, vieron en ellos una competencia y una amenaza. Otros, además, se consagraron al comercio por menudo, a pequeñas ocupaciones o pequeños oficios —afilador, zapatero remendón, estañador («tachero»)...— que les merecieron el desprecio de sus contemporáneos. La hostilidad que despertaban a su alrededor y la repugnancia de la población criolla en admitirlos en su seno hicieron difíciles, cuando no imposibles, su asimilación o integración. Los inmigrantes tenderán a agruparse por barrios o por profesiones o, simplemente, en sociedades regionalistas o de socorro mutuo, en colectividades extranjeras, conservando cada uno su nacionalidad. Se volverán en consecuencia sospechosos a los ojos de los nativos que persistirán en ver en esos nuevos residentes a unos extranjeros peligrosos para el patrimonio argentino. Y cuando se desataron las primeras huelgas, encabezadas, como la de 1878, por tipógrafos inmigrantes, formados en el plano político y sindical en una ideología claramente «izquierdista», la oligarquía reaccionó para defender sus privilegios hasta proclamar en 1902 la severa «Ley de Residencia» preparada por Miguel Cané, un representante eximio de la «generación del 80».

Para los que adquirieron la nacionalidad argentina, las prevenciones no fueron menores ya que, al poseer los mismos derechos que los criollos, no vacilaron, lógicamente, en utilizarlos y en pretender gozar de los mismos privilegios y de las ventajas económicas de los que los habían precedido, varias generaciones antes, en la conquista y la colonización del país. La misma especulación de tierras —a la que se dedicaron igualmente los inmigrantes o los hijos de inmigrantes que habían logrado ahorrar—, al enriquecer a unos y al empobrecer a otros, y al provocar simultáneamente unos súbitos e inesperados cambios sociales, contribuía a colocar en adelante en un plano de igualdad a la vieja oligarquía criolla y a los nuevos ricos inmigrados, algunos de los cuales, movidos por su propia audacia, llegaban hasta pretender ocupar envidiables posiciones sociales, hasta formar parte de los clubes elegantes y selectos —consagración de su riqueza— y participar incluso en la actividad política del país. La oligarquía criolla empezó entonces a vacilar en sus cimientos y a quemar en adelante lo que hasta entonces había adorado. Cambaceres, el otrora ferviente partidario de la inmigración, no reaccionaría de otro modo y su obra literaria, a partir de 1885, llevaría el reflejo de esa evolución.

5.3. *Las dos últimas novelas de Cambaceres*

Sin rumbo (1885) nos cuenta el destino trágico de un joven estanciero, Andrés, el cual, hastiado de la vida y de los placeres artificiales de la ciudad, busca en el campo un refugio regenerador. En el momento en que piensa haber encontrado en su hija el rumbo salvador, la muerte de la niña pone un término a sus esperanzas y a su propia vida.

Este trágico desenlace deja testimonio de una de las influencias literarias y filosóficas de Cambaceres, la del pesimismo schopenhaueriano, para el cual «vivir es querer y querer es sufrir: luego la vida es por esencia dolor»[14]. Ahora bien, al revés de lo acontecido en las novelas anteriores, el escepticismo y el disconformismo con la vida y la sociedad parecen ser, más que los suyos en el momento de escribir la novela, el eco de lo que fue su nihilismo unos ocho o diez años antes, alrededor de 1874-1876, cuando protagonizó un doble escándalo, al denunciar los fraudes electorales cometidos por su propio partido, lo cual le enajenó las voluntades de sus amigos po-

---

[14] E. Caro, *op. cit.*, pág. 119.

Panteón de los Cambaceres en el cementerio de la Recoleta en Buenos Aires, con la estatua de la hija del escritor fallecida a los diecinueve años.

líticos, y al tener una aventura galante con la cantante Emma Wizjiak, lo cual lo llevó a dejar su escaño parlamentario. En 1885, cuando se publicó la novela, Cambaceres había encontrado la paz del espíritu y de los sentimientos y vivía una vida ya más sosegada con Luisa Bacichi —con quien se casaría dos años más tarde— y con su hija de dos años —de la misma edad, pues, que la pequeña protagonista de *Sin rumbo*. O sea que, muy lejos de vivir en ese momento como un solitario, llevaba una vida familiar y además una vida social como lo revelan los recortes de prensa del año 1885 y también el hecho de que se le designara como delegado general de Argentina en la preparación de la Exposición Universal de 1889 en París. Por lo tanto, sería un error considerar que Andrés, el protagonista, reflejaba el estado anímico de su creador en el momento de escribir la novela. Al revés, a nuestro entender, la obra debe leerse como una condena de los estragos que pudo haber hecho en la generación que fue la de Cambaceres la filosofía destructora de Schopenhauer (un poco como el *Quijote* pudo representar en sus intenciones iniciales una burla contra los lectores perturbados por la lectura de las novelas de caballería...). Tiende a demostrarlo el hecho de que se oyen como dos voces en la novela: una, la que corresponde al protagonista, marcado por la desesperanza, como cuando se confiesa «chingado, miserablemente chingado», y otra, la del narrador-autor, que juzga esta misma desesperanza como el resultado de «la zapa de los grandes demoledores humanos». Lo cual no impide evidentemente que veamos ahí como el eco de lo que debió ser la amargura, la soledad, el desaliento de un hombre maduro que camina «sin plan ni rumbo» y también rasgos de la que fuera su filosofía misógina y machista acerca de la pretendida inferioridad de la condición femenina (con la perceptible influencia del ensayo de Schopenhauer *Sobre las mujeres*, publicado en Francia en 1880). Y más allá del caso personal del autor, puede, o debe, considerarse la novela como la denuncia de todo un sector de la burguesía porteña decadente, cuando vivía Argentina, a mediados de los 80, una crisis a la vez social y moral. Cambaceres recurrirá fundamentalmente al naturalismo para denunciar la crisis social y al nihilismo para censurar, *a contrario*, la crisis moral. Además, si la adaptación argentina del naturalismo y del schopenhauerismo tiene su punto de partida en Francia, hay que recordar que, no sólo los dos movimientos se oponían en la percepción eufórica o disfórica de la realidad, sino que contrastaban también en lo político, representando los naturalistas franceses el bando progresista y republicano y los schopenhaueristas el partido reaccionario y antirrepublicano[15]. Al condenar implícitamente al schopenhauerismo, Cambaceres condenaba ipso facto a los oponentes al naturalismo.

En *Sin rumbo*, el novelista da rienda suelta a una descripción desgarradora del hastío y a una pintura descarnada y cruda de los instintos, así como a una descripción en clave de acontecimientos —a menudo autobiográficos, como lo acabamos de ver— de la realidad contemporánea, lo cual no se había dado en ningún momento en la narrativa argentina anterior. Su protagonista refleja el pesimismo schopenhaueriano que E. Caro había puesto de moda en 1878 y que Huysmans recogería años más tarde en *À Rebours*, un año antes de la salida de *Sin rumbo*. Como Des Esseintes, el personaje literario ideado por el naturalista francés, Andrés es un resentido, un fracasado, un *raté* o un «chingado» con tendencias suicidas, como lo fuera tal vez el mismo Cambaceres a mediados de los 70. Ambos protagonistas, Des Esseintes y Andrés, son aristócratas u oligarcas encerrados en su desprecio a los demás y en su neurosis, degeneración o decadencia, producto, en el primero, de la herencia, y en el segundo, del medio ambiente o de la educación recibida. Personajes, pues, que evolucionan lógica y fatalmente hacia un fin desastroso, según las leyes infalibles del determinismo naturalista. Ambos son lectores asiduos y convencidos de Schopenhauer y de los pesimistas alemanes, los que inspiran su amarga filosofía de la vida y su mismo desdén por el mundo y por las mujeres. Ambos, además, reaccionan del mismo modo, llegando a representar el modelo emblemático del «decadente» finisecular, caracterizado por su diletantismo y su dandismo, su refinamiento y su

---

[15] Cfr. Michel Winock, *Le siècle des intellectuels*, París, Seuil, 1997, págs. 104-105.

esteticismo, que los convierten en melómanos, bibliófilos o coleccionistas de obras de arte, mientras que su neurosis y su perversión los llevan, en el caso de Des Esseintes, a tratar de hacer de un joven un asesino y, en el de Andrés, a violar a una joven mestiza. Sus excentricidades y provocaciones de patricio desdeñoso de la burguesía y de la plebe, su donjuanismo insatisfecho de *blasé*, su fortuna derrochada en paraísos artificiales, la nada de su vida cotidiana son otros elementos coincidentes de su decadentismo y de su *taedium vitae*.

La obra, a juicio de la inmensa mayoría de los críticos, es la más elaborada de Cambaceres, la que mejor justifica el título de novela. Estructuralmente, indica un sensible progreso con respecto a las obras anteriores: la disposición de los capítulos obedece a una construcción rigurosa en dos partes y tres divisiones de hecho. La primera y la segunda parte se articulan en torno a la venida al mundo de Andrea y señalan un antes y un después que corresponden a los dos momentos claves de la relación al mundo y del estado anímico de Andrés, primero, el estado misántropo, donjuanesco, disfórico, cuando anda *sin rumbo,* y después, el estado más sociable, casi ascético, parcialmente eufórico del protagonista, debido a que, gracias a su nueva condición de padre, parece haber encontrado un norte y un sentido a su vida, hasta que la muerte de la criatura le quita nuevamente el rumbo y lo lleva al suicidio. Las tres divisiones corresponden a otros tantos espacios geográficos (la estancia y el puesto, la ciudad con el teatro y la *garçonnière* y, nuevamente, la estancia), con las correspondientes actuaciones de Andrés respecto a la gente de campo (privilegiando a Donata), a los cantantes de ópera (con la figura dominante de la Amorini) o a la misma Andrea, las tres figuras femeninas que sirven de contrapunto a Andrés (del griego *Andros*, «hombre», o sea el hombre por antonomasia). Este mismo rigor estructural se observa en la simetría con la cual se van sucediendo los capítulos: los trece primeros se sitúan en el campo, los trece siguientes en Buenos Aires y van seguidos a su vez de seis capítulos (poco menos que la mitad de trece), nuevamente en la Pampa, con lo cual termina la primera parte; la segunda parte, cuya extensión representa aproximadamente un tercio de la primera, consta a su vez de trece capítulos. Además existe cierta simetría estructuradora entre el principio y el final de la obra, a través de tres elementos simbólicos, las *heridas* de las ovejas y del mismo Andrés, el *fuego* del fogón y del incendio y el *chino* Contreras como protagonista o responsable de todo lo infausto, uniendo así, en una visión apocalíptica, la sangre y el fuego[16]. Todo esto demuestra elocuentemente la voluntad de rigor y coherencia que puso Cambaceres en su tercera novela a la que quiso sin duda alzar al nivel de los «estudios» naturalistas.

Por su parte, los retratos, vivos y punzantes, de *Potpourri* dejan el lugar al estudio psicológico desarrollado del protagonista que lo lleva del pesimismo más negro y más misántropo a un comportamiento sensible y cariñoso de padre. Las dos figuras femeninas, si bien vienen analizadas de manera más escueta, tienen su relieve; en el caso de la Amorini, estudiada desde los múltiples puntos de vista del narrador, de los personajes de su entorno o de su propia valoración, tenemos incluso dos retratos contrastados, correspondiendo cada uno al estado anímico eufórico o disfórico del protagonista, lo cual equivale de hecho, de rebote, a dar más espesor todavía a la psicología ya compleja de Andrés y demuestra las ambiciones y los nuevos logros del autor. En cuanto a los personajes secundarios, condicionados por el medio ambiente y el momento histórico de una Argentina en plena transformación (la partera, por ejemplo, o el médico, obligado «a buscar en los pueblos de campo un refugio pasajero contra el hambre»), suelen ser representativos de su profesión o procedencia social y se destacan generalmente, por sus cualidades e incluso su humanidad en el caso de la gente de campo (Ño Regino), o por sus defectos, llevados a veces hasta la caricatura, tratándose de individuos que actúan en Buenos Aires (toda la gente de teatro cuya «farsa vivida no es otra cosa que una repetición grosera de la farsa representada») o de nuevos ricos que representan otra farsa al querer imitar a los capitalinos (el juez de paz).

---

[16] Consultar al respecto los excelentes estudios de G. Schade y R. Gnutzmann (estudio preliminar a *Sin rumbo)* señalados en la bibliografía.

Los diálogos, cáusticos o humorísticos de la primera obra, se doblegan ante las descripciones costumbristas, realistas o naturalistas; los relatos saben ser parcos y discretos, apenas sugeridos, como en el momento de referirse a la violación de Donata; lo autodiegético desaparece completamente, incluso cuando el autor se esconde tras la figura del protagonista. La trama de la novela evoluciona en forma paralela: de simple relato con digresiones, tejido alrededor de la trama artificial y tenue que constituye el doble engaño de *Potpourri,* de trivial aventura de un rastacuero en París, mezclada, ella también, con digresiones, en *Música sentimental,* la acción cobra aquí una unidad y una consistencia nuevas en nuestro autor. El argumento saca su eficacia de la utilización de un lenguaje y un tono concisos, vivaces, ágiles que, tras su aparente desenfado y su desprecio por lo retórico, demuestran una sólida y compleja elaboración y contribuyen a hacer de *Sin rumbo* la primera novela realmente lograda de la literatura argentina. Puede decirse que el estilo encuentra aquí su madurez y su culminación. La perfecta adecuación al tema tratado, la sutil utilización de términos —singularmente de verbos— dinámicos que traducen la dramaticidad de los acontecimientos, el empleo de imágenes plásticas y sugestivas cuidadosamente elegidas dentro del contexto pampeano, todo demuestra la sensible evolución del escritor hacia un mayor dominio del utensilio literario y alcanza un ejemplar logro estético.

La visión desencantada de Cambaceres opone dos mundos, dos espacios: por un lado Buenos Aires, la ciudad por antonomasia —con sus barrios, sus calles, sus comercios, sus fiestas y su plebe, su teatro Colón y su Club del Progreso, sus costumbres y sus tradiciones—, observada con la mirada crítica y en el fondo nostálgica de un aristócrata que no encuentra nada positivo en una evolución marcada por el aburguesamiento vulgar y por la invasión de inmigrantes extranjeros; por otro, la Pampa, el campo por excelencia.

Sin rumbo es la primera novela en haber hecho del campo argentino el tema principal —casi el personaje principal— del argumento y la primera en haber dado de él una descripción realista y verista, tan alejada de las estilizaciones amaneradas y literarias del romanticismo como del color local y del tipismo de un folklore convencional y popular en demasía.

El autor multiplica en su obra los cuadros de género (esquila de las ovejas, castración y marca de los terneros...) y las escenas características (la galopada bajo un sol de plomo, el cruce del arroyo...), valiéndose de unos trazos vívidos y dinámicos y de un vocabulario aldeano vigoroso y certero, salpicado de giros coloquiales, que representa una novedad en la narrativa de la época; todo esto acompañado con descripciones costumbristas de un gran realismo, no desprovisto de humor (cfr. la fiesta en el pueblito), o con narraciones dramáticas situadas en el marco específico de la Pampa, que traducen la compenetración del autor con el campo y anuncian la narrativa de Lynch, Güiraldes o Larreta. Cambaceres hace revivir ante nosotros todos los componentes del paisaje argentino: el pueblo, la estancia, el puesto, los campesinos y los peones, los animales y las plantas, la Pampa, sobre todo, que se extiende hacia el infinito «desamparada, sola, desnuda, espléndida, sacando su belleza, como la mujer, de su misma desnudez». Como el paisaje mudable de un cuadro de Monet, la Pampa se nos aparece a la vez en la desnudez incomparable de su extensión chata y en la variedad tornasolada que suscitan en ella las diferentes horas del día, el ciclo infinitamente renovado de las estaciones o incluso los poderosos fenómenos meteorológicos que la caracterizan. Cambaceres ha querido desarrollar en la novela su tesis particular del «menosprecio de corte y alabanza de aldea». En esa perspectiva les atribuye a sus personajes un papel preciso. Así, por ejemplo, el personaje de Donata se inscribe —con su contrapunto, el de la Amorini— en el marco de la antinomia ciudad-campo que subtiende toda la novela y cuyos elementos simbolizan, según el caso, la perversión alienante de una capital moderna, desnaturalizada por el progreso mal llevado, el «putrílago» social y el «aluvión» inmigratorio, o la regeneración libertadora de la Pampa inmaculada, apartada de los adelantos técnicos, pero al menos, o por eso mismo, respetuosa de la tradición y de las buenas costumbres (en esto, demuestra Cambaceres su evolución del liberalismo al conservadurismo y viene anunciando, con medio siglo de anticipación, al Mallea de la «Argentina visible» y de la «Argentina invisible»). En la «pareja» Amorini-Donata, la primera representa el ente sofisticado, artificial, falso, depravado, corruptor, de la ciudad; la segunda, el ser rudo, casto, puro, verdadero, regenerador, del campo. Esa dualidad, además, se encuentra en simbiosis en el personaje de Andrés, ya que éste, en los flujos y reflujos de su alma atormentada, se colora positiva o negativamente según se deja atraer por uno u otro de los polos geográficos que constituyen las dos extremidades del eje de la novela. Representante de la alta burguesía porteña y tipo cumplido del estanciero, formado en la ciudad y propietario de bienes raíces, repartiendo, como Cambaceres, su tiempo y su vida entre la capital y el campo (cuando no reside en Europa), simboliza más que cualquier otro los movimientos del alma sensitiva del escritor y, finalmente, su evolución irreversible, su retorno a las fuentes de sabiduría, de purificación y de vida que, frente a la deletérea invasión inmigratoria que ha arrasado los valores de la ciudad y la idiosincrasia criolla, sólo el campo parece ofrecerle. Observamos que el único personaje negativo procedente del campo es el *chino* Contreras: de ahí se puede inferir que Cambaceres condena a través de él la mezcla de razas como, en la novela siguiente, censurará la mezcolanza de niveles socioeconómicos, culturales y morales. De hecho, *Sin rumbo* señala los límites que toda una corriente de la *intelligentsia* argentina veía en el optimismo positivista, en los aportes del pretendido progreso indefinido y en la transformación industrial y humana de la Argentina contemporánea.

Fuera del mensaje o de la tesis de marcado carácter clasista y conservador, típicos de los integrantes de la generación del 80 y opuestos a las tendencias socializantes de Zola, y de ciertos aspectos autobiográficos, que se alejan de la impersonalidad y objetividad de la corriente realista o naturalista, *Sin rumbo* participa de las características fundamentales de la novela experimental: «estudio» —así lo anuncia el subtítulo— detallado de un comportamiento psicológico o de la evolución de una enfermedad, testimonio sobre aspectos de la sociedad argentina —burguesa o campesina— de los años 80 y sobre las lacras de esta misma sociedad, inserción de las teorías schopenhauerianas entonces en boga, modalidades decadentistas del naturalismo, referencia a los instintos y pasiones sexuales (con un asomo de erotismo), «antiheroísmo» y desajuste del protagonista con respecto a su entorno y a su propio ego, cuadros realistas y veraces, escenas y palabras crudas (para la mentalidad pacata de la época...), final truculento y tremendista... Quedan ausentes sin embargo de la técnica y de los ingredientes específicamente naturalistas: la fe inquebrantable en un porvenir radiante asegurado por los triunfos de la ciencia, la voluntad de apoyarse constantemente, en la caracterización de personajes, hechos y ambientes, en una meticulosa investigación y en experimentos científicos, las minuciosas e interminables descripciones en los dominios más diversos, la poca importancia concedida aquí a la noción de herencia...

La evolución hacia el naturalismo «integral» se precisará y se plasmará en la novela siguiente, *En la sangre*. De hecho asoman en *Sin rumbo* (como en parte en las dos novelas anteriores) una voluntad de romper los moldes y las convenciones de la literatura tradicional y unas tendencias «subversivas» que demuestran el aporte novador del autor a nivel formal y anuncian la literatura del siglo XX: una gran libertad en el plano del lenguaje, del estilo o de las estructuras narrativas, una notable incorporación de voces y giros extranjeros o sacados del habla coloquial, la utilización de modalidades peculiares del estilo indirecto libre, una coexistencia elaborada de los niveles discursivos y de los puntos de vista, unas imágenes lujosas e insólitas que parecen anunciar el modernismo, la prefiguración del (anti)héroe moderno, conflictivo y problemático, una contraposición entre el protagonista y el contexto social, una intromisión obvia o disfrazada de la persona del autor, cierta «carnavalización» de la realidad en el sentido bajtiniano del término, un empleo discreto de la intertextualidad, un lugar no desdeñable concedido a lo fantástico, lo onírico o lo premonitorio... *Sin rumbo,* novela que se inscribe indiscutiblemente en el marco histórico-literario del 80, aparece así también como una prefiguración de la narrativa de nuestro tiempo.

En la sangre (1887) es la historia de un advenedizo de origen extranjero y de la amenaza que constituye para la sociedad argentina la gente de su calaña. Sin oponerse a la tónica general de *Sin rumbo,* la obra interrumpe el proceso de desvalorización de la ciudad y de revalorización del campo. Éste queda totalmente ausente de la novela. Apenas si se pueden encontrar, aquí, una alusión climática, ahí, una exaltación implícita de la posición social que confiere la posesión de la tierra, sobre todo si ésta ha sido adquirida mucho antes o, mejor, legada como un título nobiliario. De hecho, el campo queda valorado sólo implícitamente, por contraste, como para colmar el vacío que la ciudad alienada ha dejado en el corazón de uno de sus antiguos enamorados. El Buenos Aires de *En la sangre* ya no es la ciudad activa y atractiva que sustituyó en un primer momento a la «gran aldea» anterior a la República, sino la metrópoli entregada a las hordas bárbaras de los inmigrantes. No viene considerada, como en *Potpourri,* a través de la mirada de un aristócrata que ve en ella el cómplice o el testigo de sus calaveradas de muchacho o de sus aventuras de adulto, sino por medio del personaje del advenedizo, como el hito que alcanzar, la cumbre a la que se pretende trepar después de escalar por todos los medios —y todos los medios son buenos para Genaro, el hijo de inmigrante— los diferentes peldaños de la escala social. Aquí, la perspectiva se invierte: muy lejos de ser percibida desde la altura que le confiere a un aristócrata su posición social, la ciudad es vista desde abajo, con la visión rastrera de un reptil. Y en el marco de una metrópoli, otrora poderosa y exuberante, hoy anónima y casi extranjera desde que ha caído en manos de los inmigrantes, Genaro, prototipo del trepador, aparece como el símbolo de la barbarie que viene a clavar su bandera en las ruinas de la civilización.

Porque todo, en la novela, gira alrededor del símbolo del trepador. Todo, desde la psicología del personaje, la única verdaderamente desarrollada, hasta el mismo argumento, al servicio de la tesis sostenida por Cambaceres. Esa tesis, en realidad, es doble, o, mejor dicho, tiene un doble cariz. Por una parte —es el lado naturalista—, tiende a demostrar que el personaje de Genaro está determinado por su origen, o sea, que lo lleva todo «en la sangre». Por otra parte —es el aspecto político—, quiere convencernos de que la inmigración ha acarreado los males que sufre Argentina en 1887, ya que la sociedad no ha sabido levantar barreras eficaces para oponerse a las añagazas y a los embustes de los advenedizos. En realidad, las dos tesis corren paralelamente a lo largo de la obra, sirviendo la primera de apoyo a la segunda. Al hablar así de «la astucia felina de su raza», aludiendo al joven ambicioso, condensa el novelista en una plástica y sugestiva fórmula lo que las trampas y los artificios empleados para conseguir sus fines deben a sus orígenes y a la ley de la herencia. Por nuestra parte, sintetizaremos el aporte político-literario de la novela al recalcar que se trata ante todo de un panfleto naturalista. Lo cual, dicho de paso, encierra alguna contradicción ya que, por esencia, el naturalismo implicaba cierta impersonalidad e imparcialidad del autor.

De entrada, sitúa el novelista lo «innato» y lo «adquirido» del protagonista. Nace éste de un padre estañador, grosero, brutal, avariento, aquejado de un «vicio orgánico», y de una madre cariñosa, pero inculta y vulgar, enferma ella también. A los cinco años es, en lo físico, un niño raquítico, anémico, hambriento y vestido de harapos y, en lo moral, un granuja cruel y vicioso. El lugar de elección de sus juegos y de su aprendizaje de la vida es el «conventillo»[17], donde se junta toda la miseria de los inmigrantes, y la misma calle, escuela de perversión y de corrupción. Es decir, que Genaro arrastra tras de sí una grave e infamante herencia cuyo efecto viene acrecentado por la influencia del medio.

Se repiten a menudo, bajo la pluma del autor, las palabras «instinto», «raza», «herencia», «sangre» y otras del mismo re-

---

[17] «El conventillo, inmueble de inquilinos en el que se apiñan los más necesitados, los inmigrantes recién llegados y los obreros, se organiza en torno a un gran patio en el que se encuentran la fuente y el aseo común. Los cuartos de la planta baja dan directamente al patio; los del primer piso comunican entre ellos por una galería que da también al patio por medio de una escalera. En cada cuarto, de alrededor de cuatro metros por cinco, mal aireado por su única ventana y, a veces, tan sólo por la puerta, se aloja una familia. Cuatro, cinco, seis personas o más se apretujan en ese estrecho local que hace las veces de dormitorio, comedor, cocina y lavadero. En el 80, más de la cuarta parte de la población vive y padece en los conventillos.» (G. Bourdé, *Urbanisation et immigration en Amérique Latine*, Buenos Aires, París, Aubier-Montaigne, 1974, pág. 115. [la traducción es nuestra].)

gistro que, dentro de una fraseología naturalista, insisten sobre el determinismo que afecta al protagonista y tienden a demostrar que nada bueno puede esperarse de este hijo de inmigrante y de todos los demás que, al fin y al cabo, están hechos a su imagen. El mismo Genaro no puede más que desesperarse ante la agobiante fatalidad que ha hecho que nazca de un «ente despreciable, de un napolitano degradado y ruin», de una «vieja crápula» que le ha infligido la vida y, con ella, el ridículo de ser el hijo de un «tachero». Su odio hacia su padre sólo se puede equiparar a su rencor para la sociedad que le hace pagar la culpa de su ascendencia o a su deseo de vengarse de los que le desprecian.

El autor ha ensombrecido deliberada y exageradamente a su personaje. Un ambicioso rencoroso y amargado, eso es lo que la inmigración, en la ficción de Cambaceres, trae a la sociedad del 80. Uno no puede menos que quedar impresionado, si no por el valor de la demostración, al menos por el encarnizamiento puesto por el escritor en denunciar a los «trepadores», verdadera hez de la inmigración italiana. «Novela frustrada por exceso de carga», escribirá A. Giménez Pastor[18], en un juicio tal vez excesivo él también.

Podría pensarse que la sociedad ha sabido, al menos, levantar una barrera entre ella y los ambiciosos, que ha sabido preservar sus valores. La respuesta de Cambaceres es rotundamente negativa y a eso tiende, precisamente, la segunda parte de su demostración.

El primer obstáculo que se presenta ante las ambiciones conjugadas de Genaro y de su madre es el examen de ingreso al colegio dependiente de la Universidad. La facilidad grotesca del mismo demuestra, simbólicamente, la inexistencia del supuesto obstáculo. El hijo de inmigrante se sentará en adelante en el mismo banco que los criollos «bien nacidos» y podrá esperar sacar los mismos privilegios de sus estudios.

El segundo examen es mucho más arduo y parece presentar todas las garantías encaminadas a cerrarles el paso a los

---

[18] Prólogo de la Edición Minerva (1924) de *Sin rumbo*.

que no son dignos de hacer carrera El valor científico del examen, el contexto solemne del salón de actos de la Universidad, el aparato representado por el tribunal parecen oponer una barrera infranqueable a los escasos recursos intelectuales del joven ambicioso. Sin embargo, su instinto de raza y su falta de escrúpulos, por una parte, el detalle de una puerta mantenida providencialmente abierta por el bedel —nuevo símbolo de los fallos de la mecánica social—, por otra parte, le permiten franquear esta nueva dificultad y progresar irresistiblemente en la escala social.

Tercer obstáculo, y todavía más serio en apariencias, porque difícil resulta escapar del examen riguroso y exigente con que la alta sociedad protege el *numerus clausus* de sus elegidos, es el ingreso al Club del Progreso, baluarte de la oligarquía criolla. Y de hecho, el primer intento de nuestro ambicioso fracasará. Las sólidas tradiciones del *establishment* porteño parecen haber opuesto una barrera infranqueable al ascenso social del advenedizo. Sería no contar con la desfachatez hereditaria del hijo de «gringo» y con las brechas abiertas en el baluarte social.

La confianza ingenua de una honrada familia criolla no vale frente a las intrigas de un trepador. Genaro no tendrá mayores dificultades en introducirse en el hogar, en seducir a la rica heredera, Máxima, en violarla y en dejarla embarazada para poder casarse con ella y enriquecerse. Al culpabilizar a los padres y a la joven, Cambaceres quiere en realidad culpabilizar a la misma sociedad y hacerle tomar conciencia de la necesidad de estar ojo avizor y de defenderse frente a las agresiones exteriores para evitar que se instale en ella el germen de la degradación y de la corrupción. Porque hay que pensar que no sólo Genaro es un ser degradado y vil: conforme a las leyes naturalistas de la herencia biológica, el hijo de Máxima no puede por menos de llevar, a pesar de las virtudes de la madre, las taras del padre. O sea que casarse con un aporte de la inmigración es condenar a su descendencia a corromperse y a degenerar. Además, la violación de Máxima aparece, metafóricamente, con el franqueo de las fronteras del *establishment,* como la violación de la buena sociedad tradicional porteña. Porque, una vez instalado en el lugar, Genaro podrá a sus anchas multiplicar las intrigas y acumular las fechorías. Todas las puertas le quedan abiertas en adelante. La fortuna heredada de su suegro le deja esta vez la entrada libre en el Club del Progreso, le facilita la concesión de fuertes créditos bancarios, le permite, al aprovecharse de una coyuntura económica momentáneamente favorable, entregarse a las especulaciones de tierras más vergonzosas, esas especulaciones que, al producir cambios de posición y trastornos económicos, atentan contra el edificio social (y que, de hecho, lo harán vacilar tres años más tarde).

El panfletario ha querido, con un último rasgo, manifestar definitivamente, de manera hiperbólica, toda la ignominia del personaje. Ha querido, al mismo tiempo, darle una última advertencia a la sociedad. Al perder, en fin de cuentas, en el póquer de la especulación, Genaro se ha arruinado y ha arrastrado a los suyos a la quiebra. Al insultar, al pegar y al amenazar de muerte a su mujer porque se niega ésta a entregarle sus últimos bienes, Genaro no alcanza simplemente una culminación en lo odioso. Su gesto cobra nuevamente valor de símbolo: si la sociedad guarda, como Máxima, una pasividad femenina frente a las artimañas de los aventureros venidos del extranjero, corre a la catástrofe y se pone en peligro de muerte.

Eugenio Cambaceres ha querido, con su panfleto, denunciar claramente la amenaza que hacían correr a las viejas instituciones las generaciones trepadoras provenientes de la inmigración extranjera y lanzar al país una solemne y profética advertencia. Esa advertencia la harán suya otros escritores (Argerich, Martel...), y desembocará en una xenofobia, un racismo y un antisemitismo sistemáticos y, en el plano político, en la «ley de residencia» impuesta a los extranjeros en 1902.

6. Conclusiones

Podemos medir, al término de este breve estudio, la evolución de Cambaceres en cuatro direcciones fundamentales que, además, se insertan unas en otras.

6.1. *Las ideas sociopolíticas*

Toda la obra literaria de Cambaceres aparece como una sátira o un panfleto sociopolítico. Si en *Potpourri* denuncia así las lacras de la burguesía porteña y en *Música sentimental* los vicios del rastacuerismo, en *Sin rumbo* señala los desvíos morales y espirituales de la clase aristocrática y en *En la sangre* las consecuencias del aluvión inmigratorio.

En el plano de la política inmigratoria, precisamente, constatamos la amplitud de la trayectoria cumplida en dieciséis años, desde el primer discurso en la Convención Reformadora de la Constitución (1871) hasta la última novela (1887), desde las primeras manifestaciones liberales de la elocuencia cambaceriana hasta los últimos acentos de inspiración reaccionaria, en el sentido literal de la palabra.

Evidentemente, Cambaceres ha sido siempre un gran burgués, y además se ha considerado, se ha portado como tal. Cada vez que ha sido llevado a criticar su clase social, lo ha hecho desde dentro, sin negar su pertenencia a una elite, a una aristocracia, por nueva que fuera. Y la crítica de una sociedad de clase no le ha impedido usar o abusar, sin vanos escrúpulos ni cargos de conciencia, de los privilegios que esa misma sociedad le ha concedido.

En sus tres primeras novelas, y a pesar de su liberalismo, Cambaceres queda prisionero de sus prejuicios de clase. Nunca les concede a los humildes un papel determinante como es el caso en la obra de Zola o en la de Maupassant. Al contrario, a lo largo de su obra, aquéllos son rebajados a la categoría de objetos, de simples instrumentos de trabajo que obedecen ciegamente a su amo. Conviene señalar sin embargo que en los años 80 la revolución industrial no tenía en Argentina el desarrollo que era el suyo en Europa, que prácticamente no había ni obreros ni mineros. Pero es cierto que tampoco tienen un papel relevante en la obra cambaceriana los campesinos o los dependientes, por ejemplo.

En la sangre representa un cambio. Genaro desempeña el papel principal, si no precisamente el más simpático. Es a la vez de extracción modesta y profundamente odioso. Es que la novela cobra un valor de panfleto y la crítica social que, en *Potpourri,* por ejemplo, vituperaba a la necia burguesía porteña, la trata ahora con ciertos miramientos, ya que ve que en ella residen los verdaderos valores morales, menoscabados por la bárbara invasión de los inmigrantes.

Uno podrá extrañarse de que el liberal Cambaceres, el apologista de la inmigración en los años 1870, llegue a ser el escritor reaccionario de *En la sangre,* el que anatematizará la inmigración. Como uno podrá extrañarse de que esa condenación emane, precisamente, de un hijo de inmigrante. Tal vez eso se deba en parte, como apunta Cromberg, a la «importante fortuna heredada [de su padre] y al gran ascendiente que ejercía la cultura francesa sobre los intelectuales argentinos».

Sin duda podrá objetarse que la inmigración del padre de Eugenio se situaba plenamente en la línea de la inmigración noble e indispensable al país, tan preconizada por los Alberdi, Sarmiento y otros teóricos de la inmigración, muy diferente de la «baja» inmigración que se abatió sobre Argentina como un ciclón, sembrando el pánico y el desconcierto. Uno no podrá dejar de pensar, sin embargo, que hay que ver, en esa doble contradicción que reviste la actitud de Cambaceres, uno de los aspectos más ambiguos y complejos de un escritor que pertenece a una generación eminentemente compleja ella misma, hipersensibilizada por lo demás a los problemas de su tiempo.

Cambaceres ha sentido, con otros, el profundo trastorno que traía con ella la ola inmigratoria y ha presentido el alcance que no dejaría de tener en las instituciones de su país, como en el porvenir de su propia descendencia, el desequilibrio cada vez más patente entre las viejas clases burguesas, escleróticas y gastadas por el hábito del poder, y las nuevas generaciones, populares y extranjeras, dotadas de dientes afilados y apetitos sólidos. *En la sangre* es más que un grito de alerta. Es una profecía de Casandra que se niega a reconocer la ineluctabilidad del ascenso imparable del pueblo. En Cambaceres, el republicano se vuelve monárquico ante el crimen de lesa majestad.

6.2. *La antinomia ciudad-campo*

Frente al dilema ciudad-campo, el principio de la obra nos sitúa de lleno en la doble ecuación sarmientista que equipara la ciudad a la civilización y asimila el campo a la barbarie. En este sentido, *Potpourri* aparece como la novela de la ciudad, mientras que el campo queda ausente o viene tratado en un tono menor o incluso desdeñoso.

Música sentimental señala una evolución, limitada por el hecho de que la novela, escrita en Francia, desarrolla su argumento en aquel país. Las alusiones elogiosas para el campo comienzan a surgir, mientras París se vuelve ambiguo, a la vez exaltante y peligroso, paraíso e infierno.

La evolución se precisa y acentúa con *Sin rumbo*. El escritor ha pasado dos años en Europa, lejos de su tierra natal. Su país le ha parecido, a su regreso, singularmente transformado y trastornado por el desarrollo económico que hace tabla rasa de los valores aristocráticos de la «gran aldea». El viajero debió de sentirse algo marginado por unos acontecimientos que se habían desarrollado sin él. La ciudad viene a ser desde entonces sinónimo de perversión y el campo aparece en adelante como un refugio regenerador.

En la sangre se sitúa al término de esa evolución, al mismo tiempo que señala cierto retroceso. La toma de conciencia de la fuerza —y del peligro para la oligarquía— que representa en adelante la corriente inmigratoria, al mismo tiempo que provoca en el escritor náuseas ante una ciudad ahora alienada y le mueve a dar la voz de alarma, le incita a defender los valores de la civilización urbana y a exaltar implícitamente las virtudes de la sociedad establecida. Sus ataques no se orientarán en adelante contra la urbe en sí, sino contra la ciudad descarriada, que se prostituye ante el becerro de oro del modernismo exacerbado, que se entrega a los vendedores del templo —la falsa aristocracia y la nueva burguesía nacidas del progreso económico—, o se abandona al saqueo de los bárbaros —la «horda inmigratoria»—. Se trata aquí, en el fondo, de una reacción de despecho amoroso. De hecho, Cambaceres quiere a la ciudad como se quiere a una mujer. Pero al ver que la ciudad de sus amores, la ciudad con la que ha flirteado toda su vida ha venido a ser la ciudad de los demás, se ha mancillado, se ha prostituido, el escritor-amante no puede ocultar su despecho y su confusión. En un primer tiempo, ha dejado a la infiel impura para echarse en los brazos de su eterna rival, la campiña pura y purificadora, como Andrés se pasó de los amores mancillados y perversos de su querida a las entregas castas, a la aspereza salvaje de la joven mestiza. Pero la conclusión le ha resultado frustrante y muy amarga, ya que el fruto de sus amores, Andrea, ha muerto en el umbral de su vida. ¿Representa la muerte de la niña inocente, seguida pronto por el suicidio de Andrés, el fin de un mundo? Podríamos pensarlo al término de la evolución literaria de Cambaceres cuya última novela parece querer anunciar el Apocalipsis al dibujar a hierro candente la ruina de la civilización y de la sociedad ejemplar.

6.3. *Las influencias literarias*

En el plano específicamente literario, Cambaceres ha tomado de Zola la técnica —los desvíos también—, del método experimental. (Una de las características del naturalismo consistía, se sabe, en presentar las degeneraciones psicofisiológicas de los individuos o las lacras de la sociedad burguesa.)

Esas lacras, esos males son, hay que reconocerlo, particularmente numerosos en la obra completa del escritor. Notamos, sin embargo, al hilo de la creación literaria, una evolución muy neta en el sentido de un mayor rigor en cuanto a la aplicación de los principios del método experimental. *Potpourri,* por ejemplo, es naturalista tan sólo oblicuamente, por la acumulación de casos que constituyen otras tantas lacras sociales. *Música sentimental* añade a esos casos unas nociones médicas y seudocientíficas sobre la evolución de una enfermedad, la sífilis. *Sin rumbo,* que se engalana con la denominación de «estudio», añade a la exposición de un caso de crup el análisis de la psicología compleja de un hombre presa del pesimismo y del horror de vivir, al tiempo que revela influencias del nihilismo schopenhaueriano y del decadentismo finisecular. *En la sangre*, la última y la más naturalista de las cuatro novelas, la única, tal vez, que merece íntegramente este calificativo, hace intervenir las nociones de influencia del medio y —su título resulta, desde este punto de vista, elocuente— de herencia.

Si la deuda de Cambaceres para con el autor de los Rougon-Macquart es, por lo tanto, muy real, el naturalismo del primero no deja de alejarse, sin embargo, especialmente en el plano ideológico, del naturalismo del segundo.

El espíritu positivista de Zola le movía a pensar que la literatura y la ciencia debían asociarse estrechamente, como debían hacerlo también la República y el naturalismo. Sus concepciones tendían hacia el socialismo y la exaltación del proletariado, aun cuando una obra como *L'Assommoir (La Taberna)*, al dar de la condición obrera un reflejo globalmente negativo, le ha valido las críticas de espíritus avanzados. *Germinal*, es cierto, es la revancha moral de los humildes, y el conjunto de los *Rougon-Macquart* es, lisa y llanamente, la crítica despiadada de la hipocresía y de la depravación de la burguesía. Las obras de Zola son, en la mayoría de los casos, unas obras militantes inspiradas por la política y cargadas de intenciones políticas. Las de Cambaceres también. Pero si en un primer tiempo se puede notar una convergencia entre los dos autores en la sátira de la moral burguesa, si se puede encontrar una filiación parcial pero cierta entre las intenciones políticas y morales de *Pot-Bouille* y las de *Potpourri*, el camino de nuestros dos escritores se bifurca después y toma incluso, al final, direcciones opuestas. La mayoría de los biógrafos de Cambaceres ha subrayado, refiriéndose esencialmente a la última producción de éste, *En la sangre*, esa oposición en la utilización política del naturalismo. Cambaceres, escribe Viñas, «invertirá el aprendizaje hecho en el naturalismo originariamente antiburgués para impugnar a los hijos de proletarios inmigrantes»[19].

De hecho, la paradoja es doble. *Potpourri*, la obra, en la forma, menos naturalista de Cambaceres, se suma, en el fondo,

---

[19] David Viñas, *Literatura argentina y realidad política*, Buenos Aires, Jorge Álvarez, 1964, pág. 250.

a las teorías zolianas contenidas en la denunciación implacable de las lacras de la sociedad burguesa. *En la sangre,* la obra, en la forma, más naturalista de nuestro autor, se sitúa en el polo opuesto de las tesis sociales y socializantes de Zola y vilipendia a la clase obrera y la inmigración proletaria, sin dejar de exaltar implícitamente los valores tradicionalmente asociados a la oligarquía. Aquí, como en otras partes, Eugenio ha seguido la trayectoria consecuente que le ha llevado del liberalismo al conservadurismo.

6.4. *La escritura cambaceriana*

En lo que atañe a la lengua y al estilo, la evolución no es menos evidente. El estilo deshilvanado, la lengua hablada de *Potpourri* eran las características de una charla escrita, discurso de un aristócrata que prolonga, cual Mansilla en sus *Causeries del jueves,* unas conversaciones de club u opiniones intercambiadas en aquellas veladas mundanas que reunían en los salones de moda a la flor y nata de la oligarquía y de la *intelligentsia.* El narrador autodiegético hacía posible ese tipo de escritura. Aquel estilo y aquella lengua, que recurren a menudo a un vocabulario típicamente criollo y a una sintaxis suelta, no desprovista de laxismo, «espumeante como una copa de champagne» —en palabras de un contemporáneo—, están llenos de frescor y de espontaneidad y comunican a la prosa de *Potpourri* una gracia y un humor inimitables. Al mismo tiempo, el empleo recurrente de palabras extranjeras, preferentemente francesas, sirve para situar al autor intelectual y socialmente y para distinguirlo de sus compatriotas menos felices y menos favorecidos que él en el plano del eclecticismo y del cosmopolitismo, considerados entonces como marcas de nobleza.

Música sentimental aspiraba más a la categoría de novela. Por ello, la lengua es más contenida, el estilo más amplio, más tenso, más narrativo. Se terminaron ya las frases cortas, incisivas, tajantes. En adelante, la frase se despliega naturalmente, es más larga, más solemne, más literaria y se ajusta ahora más a la narración que al diálogo o al monólogo propios de *Pot-*

El respetable público la
toleró sin intención y sin
propósito de una manera
que me subleva y me car-
ga. —

He contado sacudir la
dentro plaga de pruri-
sec en materia de sen-
timientos; soy, según me
quieren compatriotas que
lo creen, o más bien, afec-
tan creerlo, un viejo egois-
ta y descreído. —

Como la edición se agotó
en pocos días, voy a
hacer aquí una nueva

San Nov. 22/81 —

Mi querido Miguel —
ayer he recibido su
carta dirigida a la Le-
gación. —

No sé decirte todo el
placer que me ha causado,
pues no sabe que siempre
se acuerda por no sé cuantos por y quieren. —

Salí de Buenos Aires hu-
yendo de los rigores del
verano que se presentaba
formidable, y en Octubre

Texto autógrafo de Cambaceres.

pourri. Los vocablos franceses no están ausentes, pero no desentonan por situarse la trama de la novela en París o en Montecarlo.

Sin rumbo aspira por lo menos tanto, si no es más, a la categoría de novela, y de novela realista-naturalista. El narrador autodiegético de las dos primeras obras deja paso al narrador en tercera persona que da al relato una apariencia de objetividad. El estilo es igual de amplio y de narrativo que en la obra anterior pero la lengua señala una evolución considerable. Estamos lejos aquí de los galicismos y de los giros franceses —o, en el polo opuesto, de los sacados del lunfardo—, que caracterizaban a *Potpourri* y, en menor grado, a *Música sentimental.* La acción, en esta novela, se sitúa un tercio en Buenos Aires y dos tercios en la Pampa. La voluntad de rehabilitar el campo, por las razones que conocemos, lleva al novelista a inyectar en su prosa un número considerable de voces y expresiones típicas del campo y del mundo pampeano. La lengua, como siempre, queda al servicio de la ideología. Habiendo cambiado ésta, tiene que evolucionar simultáneamente el soporte lingüístico. El cosmopolitismo de la primera obra, al desaparecer en beneficio de la afirmación nacionalista de la tercera, empuja al autor a conceder la máxima importancia a los argentinismos y a una lengua auténticamente criolla.

Con *En la sangre,* lengua y estilo señalan la última etapa de la evolución ideológica del novelista. Movido por una preocupación de realismo y de mimetismo, Cambaceres utiliza ocasionalmente la lengua bastarda de los inmigrantes italianos (el «cocoliche») mientras que su numen satírico coloca en boca de Genaro unas expresiones vulgares y desvalorizantes para el ambicioso. Pero la gran singularidad de *En la sangre,* no sólo en relación con las otras novelas argentinas sino, incluso, con respecto a las tres primeras obras de Cambaceres, es el empleo sistemático del estilo indirecto libre y la redundancia que significa el empleo del pronombre sujeto colocado después del verbo, generalmente al final de la frase o de la oración. Cambaceres ha querido señalar con este procedimiento estilístico a la vez el arribismo tremendo de Genaro y una oscilación constante entre un orgullo de macho satisfecho y un complejo de inferioridad nacido de la conciencia de su mediocridad, los cálculos sórdidos, los razonamientos interiores del intrigante, la preocupación exclusiva por su yo, su egoísmo frenético que le coloca en el centro de todo y hace de su persona —puesta precisamente en relieve por el uso enfático y redundante del pronombre— el objeto único al que tienden los meandros de su soliloquio. El procedimiento, por pesado y repetitivo que sea, obedece a una voluntad estética y satírica, perfectamente consciente y dueña de sus efectos. La lengua y el estilo están, ahí también, al servicio de la ideología y permiten al autor y al grupo social que representa distanciarse de los inmigrantes y de la chusma originada por la inmigración, al tiempo que el novelista se asegura la complicidad del lector en esa condenación y ese rechazo.

Esta edición

Sin rumbo tuvo, el año de su salida en librería (1885), cuatro ediciones sucesivas, lo cual representa, para la época, un éxito considerable. De hecho, la segunda edición reproduce exactamente la primera y otro tanto pasa con la cuarta con respecto a la tercera. De manera que la segunda y la cuarta edición son, más que ediciones propiamente dichas, nuevas tiradas. Además, *Sin rumbo* es, de las cuatro novelas de Cambaceres, la que se ha beneficiado con el mayor número de ediciones. Entre el año de la aparición de la novela en la Argentina (Buenos Aires, Lajouane, 1885) y la primera reedición (Joyas Literarias, 1922), transcurrieron treinta y siete años durante los cuales el novelista quedó sepultado en el pozo del olvido. Salieron después, sucesivamente, ediciones a cargo de las casas editoriales bonaerenses Minerva (1924), Biblioteca Pluma de Oro (1939), Beybe (1944), Jackson (1944 y 1947), Estrada (1949), Huemul (1966 y 1980), Centro Editor de América Latina (1968 y 1980), Plus Ultra (1968 y 1980), Abril (1983), El Ateneo (1994) y Nuevo Siglo (1995). En España editaron la novela Anaya (Madrid, 1971) y la Universidad del País Vasco (Bilbao, 1993). En 1956 (y luego en 1968), salieron, editadas por Castellví (Santa Fe), las obras completas de Cambaceres, entre las cuales figura, obviamente, la novela que nos ocupa. La mayoría de estas ediciones se basan en el texto de la tercera edición de Lajouane. Algunas, como la de Estrada a cargo de Carlos Alberto Leumann, que se fundan esencialmente en la primera edición, acuden, llegado el caso, al texto de la tercera, «[corrigiendo] errores que desnaturalizan, sin

63

ningún motivo, el texto consultado de Cambaceres [y subsanando] erratas de imprenta numerosas que pasan por pecados del autor» (pág. 6). La primera reedición de la obra (la de Joyas Literarias) viene desgraciadamente plagada de omisiones, cortes, errores y descuidos de las que se contagian automáticamente las tres que se basan en ella, la de Beybe, la de Plus Ultra y la de Castellví. A lo cual se suma un curioso acto de censura, debido probablemente a la pacatería de los responsables de Beybe, el de la palabra «puta», después de «perra», en las últimas líneas de la novela... De todas las ediciones nombradas, la más cuidada y la más satisfactoria metodológicamente es sin duda la de Bilbao, a cargo de la profesora Rita Gnutzmann, basada en la cuarta edición de Lajouane. Respeta escrupulosamente el texto original, si bien tiende a condensar en un mismo párrafo las frases sueltas de los diálogos.

Nuestro texto reproduce la tercera/cuarta edición de Lajouane porque, habiéndose publicado en vida de Cambaceres, éste pudo revisarla y corregirla. De modo que representa a la vez la versión más elaborada y, también, la más convincente y fidedigna. Nos hemos limitado, pues, a corregir los errores tipográficos y a actualizar la ortografía. En todos los casos indicamos en las notas de pie de página los cambios sobrevenidos entre las dos primeras ediciones y las que llevan los números 3° y 4° para que salgan a la vista tanto las intenciones del escritor como las mejoras aportadas al texto escrito. Para las notas de pie de página hemos acudido a los diccionarios, gramáticas y libros de carácter histórico o documental mencionados en el apartado final de la siguiente Bibliografía.

Bibliografía

OBRAS DE EUGENIO CAMBACERES: PRIMERAS EDICIONES

Utilidad, valor y precio (tesis de doctorado), Buenos Aires, Imprenta Buenos Aires, 1869.

Separación de la Iglesia y del Estado, Discurso pronunciado en la Convención de la Provincia de Buenos Aires para la reforma de su Constitución, el 18 de julio de 1871, en *Revista del Río de la Plata,* publicada por Andrés Lamas, Vicente Fidel López y Juan María Gutiérrez, vol. I, Buenos Aires, Casavalle, 1871, págs. 275-289.

Separación de la Iglesia y del Estado..., en *Oratoria Argentina,* por Neftalí Carranza, t. I, Buenos Aires, La Plata, Sesé y Larrañaga, 1905, págs. 625-635.

Potpourri - Silbidos de un vago, 1.ª ed., sin nombre de autor, in-8, Buenos Aires, Biedma, 1882, 409 págs.

Potpourri - Silbidos de un vago, 2.ª ed., sin nombre de autor, in-8, Buenos Aires, Biedma, 1882, 409 págs.

Potpourri - Silbidos de un vago, 3.ª ed., sin nombre de autor [precedida de] «Dos palabras del autor», in-8, París, Denné, 1883, 337 págs.

Potpourri - Silbidos de un vago, 4.ª ed., sin nombre de autor [precedida de] «Dos palabras del autor», in-8, París, Denné, 1883, 337 págs.

Música sentimental - Silbidos de un vago, 1.ª ed., sin nombre de autor, in-8, París, Denné, 1884, 306 págs.

Música sentimental - Silbidos de un vago, 2.ª ed., sin nombre de autor, in-8, París, Denné, 1884, 306 págs.

Sin rumbo (estudio), 1.ª ed., in-8, Buenos Aires, Félix Lajouane, 1885, 295 págs.

Sin rumbo (estudio), 2.ª ed., in-8, Buenos Aires, Félix Lajouane, 1885, 295 págs.

Sin rumbo (estudio), 3.ª ed., in-8, Buenos Aires, Félix Lajouane, 1885, 295 págs.

Sin rumbo (estudio), 4.ª ed., in-8, Buenos Aires, Félix Lajouane, 1885, 295 págs.

En la sangre, Primera publicación en el folletín literario de *Sud-América,* del 12 de setiembre al 14 de octubre de 1887.

En la sangre, 1.ª ed., in-8, Buenos Aires, Imprenta de *Sud-América,* 1887, 290 págs.

Obras completas, 1.ª ed., Observaciones y notas por Eduardo M. Suárez Danero, in-8, Santa Fe, Castellví, 1956, 265 págs.

Obras completas, 2.ª ed., Observaciones y notas por Eduardo M. Suárez Danero, in-8, Santa Fe, Castellví, 1968, 489 págs.

[Correspondencia] Claude Cymerman, *Eugenio Cambaceres por él mismo: cinco cartas inéditas del autor de «Potpourri»,* Buenos Aires, Instituto de Literatura Argentina, 1971 («Documentos de la crítica argentina», 5).

IMITACIONES DE LA OBRA CAMBACERIANA

ANÓNIMO, *Ladridos de un perro.* [Publicación no comprobada. Anunciada en *El Diario* de Buenos Aires el 10 de noviembre de 1882.]

RASCAME-BEC (anagrama de Cambaceres, seudónimo presumiblemente atribuible al poeta español Suárez Orozco), *Música celestial,* in-8, París, José Jola, 1885, 193 págs.

ENSAYOS CRÍTICOS SOBRE EUGENIO CAMBACERES, EL NATURALISMO ARGENTINO Y LA GENERACIÓN DEL 80

ALONSO, Fernando Pedro y REZZANO, Arturo, «Eugenio Cambaceres», en *Novela y sociedad argentina,* Buenos Aires, Paidós, 1971, págs. 40-48.

ANGELL, Catherine, «La estructura de *Sin rumbo* de Eugenio Cambaceres: un estudio de los motivos de la mujer y de la muerte», *Southwest Graduate Symposium of Spanish and Portuguese Literature and Language,* Austin, 1980, págs. 22-40.

APTER CRAGNOLINO, Aida, «Naturalismo y decadencia en *Sin rumbo* de Eugenio Cambaceres», *Revista de Crítica Literaria Latinoamericana* (Lima), vol. 13 (26), 1987, págs. 55-56.

— «Ortodoxia naturalista, inmigración y racismo en *En la sangre* de Eugenio Cambaceres», *Cuadernos Americanos,* 3 (14), 1989, págs. 46-55.

AVELLANEDA, Andrés, «El naturalismo y E. Cambaceres», en *Historia de la literatura argentina,* Buenos Aires, Centro Editor de América Latina, t. 2, 1980-1986, págs. 145-159.

BARBOSA DE CASTRO, Percio Jr., *De la Península hacia Latinoamérica: El naturalismo social en Emilia Pardo Bazán, Eugenio Cambaceres y Aluisio de Azevedo*, Nueva York, Peter Lang, 1993.

BARCIA, José, «Eugenio Cambaceres o la prefiguración de lo porteño», *La Gaceta Literaria*, 1 (4), mayo de 1956.

BAREA, José Antonio, «Un novelista olvidado (Eugenio Cambaceres)», en *Figuras y máscaras*, Tucumán, La Raza, 1941, págs. 51-57.

BASTOS, María Luisa, Introducción a *Sin rumbo*, Madrid, Anaya, 1971, págs. 7-31.

— «Cambaceres o Falacias y revelaciones de la ilusión naturalista», en *Relecturas: Estudios de textos hispanoamericanos*, Buenos Aires, Hachette, 1989, págs. 27-40.

BAZÁN-FIGUERAS, Patricia, *Eugenio Cambaceres: Precursor de la novela argentina contemporánea*, Nueva York, Peter Lang, 1994.

BECK, Phyllis Powers, «Eugenio Cambaceres: The Vortex of Controversy», *Hispania* (Wallingford), 46 (4), diciembre de 1963, págs. 755-759.

BELLINI, Giuseppe, «Eugenio Cambaceres o el naturalismo como pretexto», en Eugenio Suárez Galbán (ed.), *La ínsula sin nombre: homenaje a Nilita Vientós Gastón, José Luis Cano y Enrique Canito*, Madrid, Orígenes, 1990, págs. 69-80.

BLANCO AMORES DE PAGELLA, Ángela, «La lengua en la obra de Eugenio Cambaceres», *Universidad* (Santa Fe), 45, julio-septiembre de 1945, págs. 97-115.

BLASI, Alberto, *Los fundadores: Cambaceres, Martel, Sicardi*, Buenos Aires, Ediciones Culturales Argentinas, 1962.

BORELLO, Rodolfo A., «Eugenio Cambaceres y su obra», *Comentario* (Buenos Aires), 19, abril-junio de 1958, págs. 28-36.

— «Los escritores del 80», *Revista de Literatura Argentina e Iberoamericana* (Mendoza), 1, 1959, págs. 32-46.

— «Para la biografía de Eugenio Cambaceres», *Revista de Educación* (La Plata), 5, 1-2, enero-febrero de 1960, págs. 1-10.

BURGOS, Fernando, «Planos ideológicos de la modernidad en *Sin rumbo*», *Megafón*, año VII, núm. 14, julio-diciembre de 1984, págs. 135-140.

— *La novela moderna hispanoamericana*, Madrid, Orígenes, 1985.

CANÉ, Miguel, «Los libros de Eugenio Cambaceres. A propósito de *Sin rumbo*», *Sud-América*, 30/10/185, recogido en Frugoni de Fritzsche, Teresita, edición crítica de *Sin rumbo*, Buenos Aires, Plus Ultra, 1980, págs. 185-198.

CASTAGNARO, R., Anthony, *The early spanish american novel*, Nueva York, Las Américas, 1971, págs. 119-129.

CATALA, Rafael E., «Apuntes sobre el existencialismo en *Sin rumbo* de Eugenio Cambaceres», en *Estudios de historia, literatura y arte hispánicos ofrecidos a Rodrigo A. Molina,* Madrid, Ínsula, 1977, págs. 97-107.

CODDOU, Marcelo, «Significación del espacio en *Sin rumbo* de Eugenio Cambaceres», *Universidad* (Santa Fe), 81, julio-diciembre de 1970, págs. 339-361.

CROMBERG, Jorge E., «Ausencia de la revolución industrial en el naturalismo de Cambaceres», en *Actas de las terceras jornadas de investigación de la historia y literatura rioplatense y de los Estados Unidos,* Mendoza, Universidad Nacional de Cuyo, 1971, páginas 105-111.

CYMERMAN, Claude, *Diez estudios cambacerianos,* con un prólogo de Paul Verdevoye, Rouen, Publications de l'Université de Rouen, 1993, núm. 187 (recopilación de artículos publicados de 1969 a 1992).

— Edición de *En la sangre,* con un prólogo de Antonio Lorente Medina, Madrid, Editora Nacional, 1984, 249 págs. («Biblioteca de la literatura y el pensamiento hispánicos»).

EPPLE, Juan, «Eugenio Cambaceres y el naturalismo en la Argentina», *Ideologies and Literature: Journal of Hispanic and Lusophone Discourse Analysis,* septiembre-noviembre, 1980, 3 (14), págs. 16-50.

FERNÁNDEZ, Nancy P., «Violencia, risa y parodia: "El niño proletario" de O. Lamborghini y *Sin rumbo* de Eugenio Cambaceres», *Interamerican Review of Bibliography,* 1993, XLIII, 3, págs. 413-417.

FRANCIULLI, Matilde, «*Sin rumbo* de Eugenio Cambaceres: La estructura del relato», *Revista Canadiense de Estudios Hispánicos,* invierno, 1991, 15 (2), págs. 191-207.

FRUGONI DE FRITZSCHE, Teresita, Introducción a *Sin rumbo,* Buenos Aires, Plus Ultra, 1980, págs. 9-47.

GARCÍA MÉROU, Martín, «Las novelas de Cambaceres», en *Libros y autores,* Buenos Aires, Lajouane, 1886, págs. 71-90.

GEIROLA, Gustavo, «Cuerpo, violencia y terrorismo en la escritura irónica de Eugenio Cambaceres», en *Cuadernos para la Investigación de la Literatura Hispánica,* 1992, 16, págs. 111-144.

GERLING, David Ross, «El parentesco literario entre la novela *Sin rumbo* de Cambaceres y una novela contemporánea de Amorim», *Revista Interamericana Bibliográfica,* 30 (3), 1980, págs. 238-245.

GIMÉNEZ PASTOR, Arturo, «Eugenio Cambaceres», prólogo de la edición de *Música sentimental,* Buenos Aires, Minerva, 1924, págs. 5-25.

GIUSTI, Roberto T., «Un novelista porteño: Eugenio Cambaceres», en *Siglos, escuelas, autores,* Buenos Aires, Ed. Problemas, 1946, págs. 321-328.

— Prólogo a *Sin rumbo,* Buenos Aires, W. M. Jackson, 1947, páginas xiii-xxiii.

GNUTZMANN, Rita, «Eugenio Cambaceres: el perfeccionamiento de un escritor», *Philología Hispalensis,* vols. 5, 1, 1990, págs. 317-326.

— Estudio preliminar a *Sin rumbo,* Bilbao, Universidad del País Vasco, 1993, págs. 9-42.

— *La novela naturalista en Argentina (1880-1900),* Amsterdam, Atlanta, 1998.

GONZÁLEZ, Inés, «Elementos naturalistas en la estructura y en la cosmovisión de *Sin rumbo* de Eugenio Cambaceres», *Anuario de Letras* (UNAM), XIX, 1981, págs. 225-247.

GONZÁLEZ, Santiago; LEMOS, Hortensia; POSADAS, Abel; RIVAROLA, Nannina y SPERENI, Marta, *El 80,* Buenos Aires, C.E.A.L., 1968-1969 (2 tomos).

GRAÑA, María Cecilia, «Buenos Aires en la imaginación del 80. El teatro como paradigma», en *La utopía, el teatro y el mito. Buenos Aires en la narrativa argentina del siglo XIX,* Roma, Bulzoni, 1991, págs. 141-185.

GUILLÉN, Héctor E., «El realismo de Cambaceres», *Nordeste* (Resistencia), 5, diciembre de 1963, págs. 191-211.

JITRIK, Noé, «Cambaceres: adentro y afuera», *Boletín de Literaturas Hispánicas* (Santa Fe), 2, 1960, págs. 5-21.

— *El 80 y su mundo,* Buenos Aires, Jorge Álvarez, 1968.

KIDDIE, Thomas James, Jr., *Eros and Ataraxy: A Study of Love and Pleasure in the Fiction of Zola, Cambaceres and Fontane,* Ann Arbor, Dissertations Abstracts International, enero de 1988, 48 (7).

LASARTE, Pedro, «*Sin rumbo* en el texto de Schopenhauer», *INTI,* 39, primavera de 1994, págs. 81-95.

LEUMANN, Carlos Alberto, Estudio preliminar a *Sin rumbo,* Buenos Aires, Estrada, 1949, págs. vii-xxxiii.

LICHTBLAU, Myron I., *The argentine novel in the nineteenth century,* Nueva York, Hispanic Institute in the United States, 1959, págs. 163-173.

— «A century after: Eugenio Cambaceres' *Sin rumbo* (1885-1985)», en Gilbert Paolini (ed.), *La Chispa '85. Selected Proceedings of the Louisiana Conference on Hispanic Studies,* Nueva Orleans, Tulane University, 1985, págs. 213-218.

— [Bibliografía de Eugenio Cambaceres en] *The Argentine Novel: An Annoted Bibliography,* Lanham, Md. y Londres, The Scarecrox Press, 1997, págs. 161-167.

MARÚN, Gioconda, «Relectura de *Sin rumbo*: Floración de la novela moderna», *Revista Iberoamericana,* 1986, abril-septiembre, vol. 52 (135-136), págs. 379-392.

MELIAN LAFINUR, Luis, «Sobre *Música sentimental. Silbidos de un vago* de Eugenio Cambaceres», *Anales del Ateneo del Uruguay,* Montevideo, 7, 1953, págs. 387-400.

69

MEYER-MINNEMANN, Klaus, «Eugenio Cambaceres, *Sin rumbo*», en *La novela hispanoamericana de fin de siglo,* México, Fondo de Cultura Económica, 1997, págs. 158-195.

ONEGA, Gladys, «Los naturalistas. Cambaceres», en *La inmigración en la literatura argentina,* Buenos Aires, Galerna, 1969, págs. 85-108.

RAMÍREZ, Oscar Michael, *La trayectoria narrativa de Eugenio Cambaceres,* Dissertations Abstracts International, 1984, 45 (6), diciembre, Ann Arbor, University Microfilms International, 1985.

— «Oligarquía y novela folletín: *En la sangre* de Eugenio Cambaceres», *Ideologies and Literature: Journal of Hispanic and Lusophone Discourse Analysis,* vol. 4 (1), primavera, 1989, págs. 249-269.

ROJAS, Ricardo, «Eugenio Cambaceres», en *Historia de la literatura argentina,* t. 8, «Los Modernos», Buenos Aires, Kraft, 1964, págs. 391-397.

RUSICH, Luciano G., «Eugenio Cambaceres», en *El inmigrante italiano en la novela argentina del 80,* Madrid, Plaza Mayor, 1974, págs. 93-109.

SALESSI, Jorge H., *La intuición del rumbo: El andrógino y su sexualidad en la narrativa de Eugenio Cambaceres,* Dissertations Abstracts International, 51 (2-B), Yale University, agosto, 1990.

SALVADOR, Nélida, «Eugenio Cambaceres», en Pedro Orgambide y Roberto Yahni (ed.), *Enciclopedia de la literatura argentina,* Buenos Aires, Sudamericana, 1970, págs. 11-115.

SCHADE, George D., «El arte narrativo en *Sin rumbo*», *Revista Iberoamericana,* 102-103, 1978, págs. 17-29.

SOLARI, Juan Antonio, «Eugenio Cambaceres», en *Generaciones laicas argentinas,* Buenos Aires, Bases, 1964, págs. 193-212.

SOLERO, F. J., «Eugenio Cambaceres y la novela argentina», *Ficción,* Buenos Aires, 3, octubre de 1956, págs. 105-124.

STEWARDT, Donald Ray, *Three modes of realism in the spanish american novel: a study of, «El loco estero», «Fruto vedado» and «Sin rumbo»,* Dissertations Abstracts International, 1979, 40.

TCACHUK, Alexandra, *Eugenio Cambaceres: vida y obra,* Dissertations Abstracts International, 1976, 37 (7), Ann Arbor, University Microfilms International, 1979.

UHLIR, Kamil, «Cuatro problemas fundamentales en la obra de Eugenio Cambaceres», *Philologica Pragensia,* Praga, 1963, 6, páginas 225-245.

VERDUGO, Iber H., «Buenos Aires, Cambaceres y el naturalismo», V Jornadas de historia y literatura argentina y norteamericana, Córdoba, 1970.

VILLANUEVA, Graciela, «Metamorfosis de la imagen del extranjero en las novelas de Eugenio Cambaceres», *Río de la Plata,* 17-18, págs. 487-497.

Viñas, David, *Literatura argentina y realidad política,* Buenos Aires, Jorge Álvarez, 1964.

Williams Alzaga, Enrique, *La Pampa en la literatura argentina,* Buenos Aires, Estrada, 1955, cap. V, III, págs. 149-158.

Diccionarios de argentinismos y voces rioplatenses.
Documentos sobre el Buenos Aires decimonónico

Cammarota, Federico, *Vocabulario familiar y del lunfardo,* Buenos Aires, Peña Lillo, 1970.

Cánepa, Luis, *El Buenos Aires de antaño,* Buenos Aires, Linari, 1936.

Coluccio, Félix, *Diccionario folklórico argentino,* Buenos Aires, Plus Ultra, 1981.

Chuchuy, Claudio y Hlavacka de Bouzo, Laura, *Nuevo diccionario de argentinismos,* Santa Fe de Bogotá, Instituto Caro y Cuervo, 1993.

Garzón, Tobías, *Diccionario argentino,* Barcelona, Elzeviriana de Borrás y Mestres, 1910.

Gobello, José, *Diccionario lunfardo,* Buenos Aires, Peña Lillo, 1975.

Granada, Daniel, *Vocabulario rioplatense razonado,* Montevideo, Biblioteca Artigas, 2 vols., 1957 (1.ª ed., 1889).

Guarnieri, Juan Carlos, *Diccionario del lenguaje rioplatense,* Montevideo, Ediciones de la Banda Oriental, 1979.

Kany, Charles E., *Sintaxis hispanoamericana,* Madrid, Gredos, 1970.

Monner Sans, Ricardo, *Notas al castellano en la Argentina,* Buenos Aires, Estrada, 1944.

Santillan, Diego A. de., *Gran Enciclopedia Argentina* (8 vols.), Buenos Aires, Ediar, 1956-1963.

— *Diccionario de argentinismos de ayer y de hoy,* Buenos Aires, TEA, 1976.

Saubidet, Tito, *Vocabulario y refranero criollo,* Buenos Aires, Kraft, 1943.

Scobie, James R., *Buenos Aires del centro a los barrios (1870-1910),* Buenos Aires, Solar-Hachette, 1977.

Segovia, Lisandro, *Diccionario de argentinismos,* Buenos Aires, Coni, 1911.

Tiscornia, Eleuterio F., Edición crítica del *Martín Fierro,* Buenos Aires, Coni, 1951.

Verdevoye, Paul, *Léxico argentino-español-francés,* Madrid, Colección Archivos, 1992.

Wilde, José Antonio, *Buenos Aires desde 70 años atrás,* Buenos Aires, EUDEBA, 1966.

Sin rumbo

(Estudio)

EUGENIO CAMBACÉRÈS

SIN RUMBO

(ESTUDIO)

CUARTA EDICION

BUENOS AIRES
FÉLIX LAJOUANE, EDITOR
LIBRAIRIE GÉNÉRALE
51 — CALLE PERÚ — 53
1 8 8 5

Cubierta de la cuarta edición.

Primera parte

I

En dos hileras, los animales hacían calle a una mesa llena de lana que varios hombres se ocupaban en atar.

Los vellones, asentados sobre el plato de una enorme balanza que una correa de cuero crudo suspendía del maderamen del techo, eran arrojados después al fondo del galpón[1] y allí estibados[2] en altas pilas semejantes a la falda de una montaña en deshielo.

Las ovejas, brutalmente maneadas[3] de las patas, echadas de costado unas junto a otras, las caras vueltas hacia el lado del corral, entrecerraban los ojos con una expresión inconsciente de cansancio y de dolor, jadeaban sofocadas.

Alrededor, a lo largo de las paredes, en grupos, hombres y mujeres trabajaban agachados.

La vincha[4], sujetando la cerda negra y dura de los criollos, la alpargata, las bombachas[5], la boina, el chiripá[6], el pantalón, la bota de potro[7], al lado de la zaraza[8] harapienta

---

[1] Cobertizo grande.

[2] Apilados, amontonados. La *estiba* es el lugar donde se aprieta o guarda la lana.

[3] Atadas con la *manea* o lonja de cuero

[4] Cinta o pañuelo con que se sujeta el pelo.

[5] Prenda gaucha en forma de pantalón largo y ancho, ceñido a los tobillos.

[6] Prenda de vestir del gaucho o del hombre de campo, que consiste en una pieza de tela burda o rústica, de forma rectangular, que se pasa entre las piernas y se sujeta por sus extremos posterior y anterior a la cintura, mediante una faja o cinturón largo. (Chuchuy.)

[7] Bota hecha con el cuero de la pata de un potro, con una apertura por donde asoman las puntas de los dedos.

[8] Tela fina de algodón, con listas o dibujos de colores, usada antiguamente por las mujeres de campo.

de las mujeres[9], se veían confundidos en un conjunto mugriento.

En medio del silencio que reinaba, entrecortado a ratos por balidos quejumbrosos y[10] por las compadradas[11] de la chusma que esquilaba, las tijeras sonaban como cuerdas tirantes de violín, cortaban, corrían, se hundían entre el vellón como bichos asustados buscando un escondite y, de trecho en trecho, pellizcando el cuero, lonjas enteras se desprendían pegadas a la lana. Las carnes, cruelmente cortajeadas[12], se mostraban en heridas anchas, desangrando.

Por tres portones soplaba el viento Norte: era como los tufos abrasados de un fogón:

—¡Remedio! —gritó una voz.

La de un chino[13] fornido, retacón[14], de pómulos salientes, ojos chicos, sumidos y mirada torva.

Uno de esos tipos gauchos, retobados[15], falsos como el zorro, bravos como el tigre.

El médico —un vasco viejo de pito[16]— se había acercado munido[17] de un tarro de alquitrán y de un pincel con el cual se preparaba a embadurnar la boca de un puntazo que el animal recibiera en la barriga, cuando, de pie, junto a éste, en tono áspero y rudo:

—¿Dónde has aprendido a pelar ovejas, tú? —dijo un hombre al chino esquilador.

—¡Oh!, ¡y para que está mandando que baje uno la mano!...

—¡Lo que te está pidiendo el cuerpo a ti, es que yo te asiente la mía!...

—¡Ni que fuera mi tata!... —soltó el chino y, sacando un

---

[9] Lajouane, 1.ª ed.: *las hembras.*
[10] 1.ª ed.: *o.*
[11] Baladronadas, fanfarronadas.
[12] Tajadas, cortadas, heridas por las tijeras.
[13] De tez morena y rasgos achinados, mestizo. Es voz despectiva.
[14] Rechoncho, gordo y bajito.
[15] Dícese de la persona retraída, reservada y poco comunicativa. (Garzón). Taimado, disimulado, rebelde.
[16] Pipa de fumar.
[17] Provisto de (galicismo, del francés *munir*).

pucho[18] de la oreja, lo encendió con toda calma, mientras, cruzado de piernas sobre el animal que acababa de lastimar, miraba de reojo al que lo había retado[19], silbando entre dientes un cielito[20].

La burla y las risas contenidas de los otros festejando el dicho, como un lazazo agolparon la sangre al rostro de éste:

—¡Insolente! —gritó fuera de sí y al ruido de su voz se unió el chasquido de una bofetada.

Echar mano el gaucho a la cintura y, armado de cuchillo, en un salto atropellar a su adversario, todo fue uno.

La boca de un revolver lo contuvo[21].

Entonces, con la rabia impotente de la fiera que muerde un fierro[22] caldeado al través de los barrotes de su jaula, el chino amainó de pronto, envainó el arma cabizbajo y, dejando caer sueltas las manos:

—¿Por qué me pega, patrón? —exclamó con humildad, haciéndose el manso y el pobrecito, mientras el temblor de sus labios lívidos acusaba todo el salvaje despecho de su alma.

—Para que aprendas a tratar con la gente y a ser hombre...

Villalba, recíbale las latas[23] al tipo este, páguele y que no vuelva a verlo ni pintado.

Luego, a los otros:

—Si alguno de ustedes tuviera algo que observar, puede ir abriendo la boca; por la puerta caben todos.

El viento entró en remolino. En medio de la densa nube de tierra que arrastraba, se oyó el ruido repicado de las tijeras hundiéndose entre la lana, sonando *como cuerdas tirantes de violín*.

---

[18] Colilla del cigarro.

[19] Reñir, regañar, reprender.

[20] Baile y tonada de los gauchos.

[21] 1.ª ed.: *lo detuvo*.

[22] Hierro. Arcaísmo difundido en toda Latinoamérica y especialmente en Argentina.

[23] Durante la esquila se paga al esquilador una lata por cada oveja. Al final del trabajo cambia todas las ganadas por su importe en dinero. Tiene la forma de un cobre antiguo y de fabricación ordinaria y, generalmente, lleva la marca de la estancia. (Saubidet.)

II

Sobre la cumbre de un médano en forma de caballo corco-
vado[24], se alzaba el edificio. Un pabellón Luis XIII[25], sencillo,
severo, puro.

Dos cuerpos lo formaban, flanqueados por una torre rema-
tada en cono.

En la planta baja, sobre la entrada a la que seis gradas con-
ducían, una marquesa tendía el vuelo elegante de su techo.

Del vestíbulo, por la puerta de enfrente, se pasaba a una
sala-comedor. A la izquierda el escritorio, a la derecha una escalera, por la torre, llevaba al dormitorio, *toilette*[26] y cuarto de
baño de la planta superior.

Más arriba, en el alero, piezas para criados, dando al resto
de la casa hasta la cocina y dependencias del sótano, por otra
escalera chica de servicio.

Sin que alcanzaran a estorbar la vista, al frente, la bóveda
viva de una calle de paraísos[27] abriéndose en ancho semicírcu-
lo de tuyas alrededor de la casa; atrás, hacia las otras dependencias de la estancia[28], un patio sombreado por parrales y, a

---

[24] Arqueado el lomo, como el caballo que da corcovos para librarse del jinete.

[25] Luis XIII, hijo de Enrique IV y padre de Luis XIV el Grande, fue rey de
Francia de 1610 a 1643. El estilo Luis XIII es un estilo austero y augusto (con
altas pilastras de inspiración grecolatina), a semejanza del carácter del rey, rígi-
do y neurasténico.

[26] Voz francesa. Cuarto de aseo, tocador.

[27] El *paraíso* es un árbol ornamental de flores arracimadas, color violeta, que
despiden un olor aromático muy subido. Llega a tener doce metros de alto.

[28] Establecimiento de campo argentino destinado a la ganadería. La 1.ª edición intercala *y cuesta abajo* entre *estancia* y *un patio*.

los lados, los montes de duraznos y de sauces partidos en cruz por largos caminos de álamos, se divisaba desde lo alto[29] la tabla infinita de la pampa, reflejo verde del cielo azul, desamparada, sola, desnuda, espléndida, sacando su belleza, como la mujer, de su misma desnudez.

Una faja de nubes amarillas, semejantes a un inmenso trebolar en flor, coronaba el horizonte.

A lo lejos, vapores blancos flotaban como agua sobre el campo.

El sol ardiente de Noviembre bajaba por el cielo como una garza sedienta cayendo a beber en la laguna.

Cerca, sobre una loma, la mancha gris de una majada.

Acá y allá, sembradas por el bañado[30], puntas[31] de vacas arrojando la nota alegre de sus colores vivos.

Las perdices silbaban su canto triste, melancólico. Los jilgueros y bentevos[32], cansados, se ganaban[33] a hacer noche en la espesura del monte, los teros[34], de a dos, bichaban[35] cuidando el nido y, azorados ante el vuelo de un chimango[36] o la proximidad de un hombre cruzando el campo, se alzaban en volidos cortos, se asentaban ahí no más[37], corrían, se paraban, se agachaban y, aleteando, soltaban su grito autero[38].

---

[29] En la 1.ª ed., *desde lo alto* encabeza la frase.

[30] Terreno bajo y anegadizo.

[31] Porción de ganado que se ha separado del conjunto de la hacienda.

[32] O venteveo, o bienteveo. Ave de unos 10 a 15 centímetros de alto, lomo pardo, pecho y cola amarillos y una mancha blanca en la cabeza. Es inquieta, curiosa, dañina, insociable y pendenciera. También se le dice *bicho feo*. (Saubidet.)

[33] Ganarse: meterse en alguna parte para guarecerse o esconderse.

[34] Ave zancuda de unos 30 a 40 centímetros de alto, con alas armadas de espolones. Su instinto le hace gritar lejos del nido, para despistar a los curiosos, echándose de tiempo en tiempo en diferentes lugares con el fin de desviar a la persona o animal que él cree pueda apropiarse de sus huevos. (Saubidet.)

[35] O vichar: vigilar, otear, observar detenida y atentamente.

[36] Ave de rapiña, de unos 40 centímetros de alto, de color pardo oscuro y blanquizco acanelado. De pico y uñas corvos y fuertes. Su grito es agudo y desapacible.

[37] *No más* (escrito también *nomás*) es un dicho muy usual en Argentina, sin equivalente en castellano. Su sentido se aproxima, según el contexto, al de «sin más ni más», «lisa y llanamente». Su significado, aquí, es el de «ahí mismo».

[38] Que trae mala suerte (cfr. Chuchuy).

Al vaivén tumultuoso de la hacienda, a los ruidos del tendal[39], al humear de los fogones, al hacinamiento de bestias y de gente, de perros, de gatos, de hombres y mujeres viviendo y durmiendo juntos, echados en montón, al sereno, en la cocina, en los galpones, a toda esa confusión, esa vida, ese bullicio de las estancias en la esquila, un silencio de desierto había seguido.

Ni aun el viento, dormido, parecía querer turbar la calma inalterada de la tarde.

En el balcón abierto de su cuarto[40], largo a largo tendido sobre un sillón de hamaca, alto, rubio, la frente fugitiva, surcada por un profundo pliegue vertical en medio de las cejas, los ojos azules, dulces, pegajosos, de esos que es imposible mirar sin sufrir la atracción misteriosa y profunda de sus pupilas, la barba redonda y larga, poblada ya de pelo blanco no obstante haber pasado apenas el promedio de la vida, estaba un hombre: Andrés.

---

[39] Lugar cubierto donde se esquila el ganado.
[40] La 1.ª edición intercala ahí *al naciente*.

III

Al través del humo de su cigarro, su mirada vagaba perdida en el espacio.

Era la serie de cuadros del pasado, desvanecidos, viejos unos, borrados por el tiempo como borra la distancia los colores, los otros frescos, vivos, palpitantes.

Las reminiscencias de la primera infancia, los seis años, la escuela de mujeres, la maestra —Misia Petronila— de palmeta[41] y pañuelo de tartán, la cartilla, Astete[42] y, luego, las grandes, hoy marchitas, madres, abuelas muchas de ellas.

Después, Mister Lewis, su colegio de varones, almácigo de comerciantes, el espíritu positivo y práctico del padre queriendo hacerle entrar teneduría, alemán, inglés, meterlo en un escritorio.

La oposición empecinada y paciente de la madre ciega de cariño, soñando otras grandezas para su hijo, cómplice inconsciente de su daño, dispuesta siempre a encubrirlo, a defenderlo, a encontrar bien hecho lo que hacía, a ver en él a una víctima inocente del despotismo paterno y triunfando al fin con el triunfo del mañoso sobre el fuerte.

Una vez —y el recuerdo de este lejano episodio de su vida se dibujó claramente en su memoria— una vez, había llegado

---

[41] Instrumento usado antiguamente por los maestros de escuela para castigar a los niños con golpes dados en la mano.

[42] Gaspar Astete (1537-1601), jesuita español autor de *Doctrina cristiana* (1599), un libro de catecismo muy difundido antiguamente en España e Hispanoamérica.

a Buenos Aires una francesa vieja, zonza[43], flaca y fea, pero ... era artista, cantaba en Colón[44].

Enardecido al calor de una de esas fantasías de adolescente, que tienen la virtud de transformar en un edén el camarín hediondo a cola y a engrudo de las cómicas, hacerse presentar a ella por el empresario, un italiano viejo, corrompido, y mandarle en la noche del estreno diez mil pesos en alhajas, todo fue uno.

Por error, la cuenta cayó en manos del padre.

Una escena violenta se siguió. Fastidiado, declaró el viejo que cerraba los cordones de su bolsa.

El hijo, insolente, replicó alquilando un cuarto en el Hotel de la Paz[45].

Empezaron entonces los manejos de la madre, las tácitas contrariedades, los enojos, los obstinados silencios de días, de semanas, esa muerte a alfilerazos, esa guerra sorda y sin cuartel de las mujeres que acaba por convertir el hogar en un infierno.

A poco andar, llegaba a manos del hijo una carta escrita así:

«Si no te bastan quince mil pesos por mes, toma treinta mil, pero vuelve.»

¡La universidad, pensaba Andrés, época feliz, haragán, estudiante y rico!

El Club, el mundo, los placeres, la savia de la pubertad arrojada a manos llenas, perdidos los buenos tiempos, árido por falta de cultivo y de labor, baldío, seco el espíritu que tiene en la vida, se decía, como las hembras en el año, su primavera de fecundación y de brama.

Después, ¡oh!, después es inútil, imposible; es la rama de sauce enterrada cuando ya calienta el sol.

---

[43] Tonta, estúpida. Más abajo: *zoncera:* tontería, estupidez.

[44] El teatro de la ópera aquí aludido es el primitivo teatro Colón, edificado en la Plaza de Mayo, donde se yerguen hoy el viejo Cabildo, la Catedral y la Casa Rosada. Entre 1857, fecha de su construcción, y 1887, en que se convirtió en el Banco Nacional, el Colón compitió con los grandes teatros mundiales y representó el cosmopolitismo social y artístico de Buenos Aires. El actual Colón, inaugurado en 1908, se levanta en la Plaza Lavalle.

[45] Uno de los hoteles prestigiados de entonces.

Vanos los esfuerzos, la reacción intentada, los proyectos, los cambios vislumbrados a la luz de la razón, pasajero rayo de sol entre dos nubes.

Vanos los propósitos de enmienda, el estudio del derecho un instante abrazado con calor y abandonado luego bajo el golpe[46] de maza del fastidio. El repentino entusiasmo por la carrera del médico, la camaradería con los estudiantes pobres de San Telmo[47], el amor al anfiteatro, muerto de asco en la primera autopsia.

Vanas más tarde las veleidades artísticas, las fugaces aspiraciones a lo grande y a lo bello, las escuelas de Roma y de París, el Vaticano, el Louvre, Los Oficios[48], los talleres de los maestros Meissonier[49], Monteverde[50], Madrazo[51], Carrier-Beleuse[52], entrevistos y dejados por otra escuela mejor: el juego y las mujeres; la orgía.

Y en un momento de empalago, de cansancio, de repugnancia profunda, los viajes, la Rusia, el Oriente, la China, el mundo y siempre y en todas partes, bajo formas varias y diversas, el mismo fondo de barro.

Seco, estragado, sin fe, muerto el corazón, yerta el alma, harto de la ciencia, de la vida, de ese agregado de bajezas: el hombre, con el arsenal de un inmenso desprecio por los

---

[46] 1.ª ed.: *merced al golpe.*

[47] Barrio sureño de la capital. A consecuencia de la epidemia de fiebre amarilla que azotó Buenos Aires en 1871, la burguesía porteña se había trasladado al Barrio Norte, dejando el Sur en manos de los inmigrantes y de los criollos de escasos recursos.

[48] El museo de Florencia, uno de los más importantes de Europa.

[49] Ernest Meissonier (1815-1891), pintor francés, autor de pequeños cuadros de género y de escenas militares.

[50] Giulio Monteverde (1837-1917), escultor italiano, autor, en particular, de *Jenner experimentando la vacuna* y del grupo *Idealismo y materialismo* presentado en la Exposición Universal de París de 1900.

[51] Son dos los Madrazo: José (1781-1859), pintor español de formación neoclásica, discípulo del francés David, pintó sobre todo motivos históricos. Su hijo Federico (1815-1887), alumno del francés Ingres, asoció algunas tendencias románticas a una factura académica.

[52] Son igualmente dos los Carrier-Belleuze. El padre, Albert (1824-1887), es un escultor francés autor de varios monumentos y bustos de hombres célebres (Renan, Napoleón III...). Fue maestro de Auguste Rodin. El hijo, Louis (1848-1913), esculpió monumentos y pintó cuadros de género.

otros, por él mismo, ¿en qué había[53] venido a parar, qué era al fin?

Nada, nadie...

¿Qué antecedentes, qué títulos tenía[54] a la consideración de los otros, al aprecio de sí mismo?

No haber llegado a tirar por falta de tiempo, antes que lo ganara el hastío, los restos de lo que supo ahorrar su padre.

—¡Ah! Sí —exclamó[55] Andrés con un gesto de profundo desaliento, arrojando la punta de su cigarro que le quemaba los labios—, ¡chingado[56], miserablemente chingado!...

La noche había llegado, tibia, transparente.

Una niebla espesa empezaba a desprenderse de la tierra.

El cielo, cuajado de estrellas, parecía la sábana de una cascada inmensa derramándose sobre el suelo y levantando, al caer, la polvareda de su agua hecha añicos en el choque.

Andrés, apoyado a la reja[57] del balcón, miró un momento:

—¡Uff!... —hizo[58] cruzando los brazos en la nuca y dando un largo y hondo[59] bostezo—, ¡qué remedio!..., mañana iré a ver a la china esa.

Encendió luz, ganó la cama y abrió un libro.

Media hora después cerraba los ojos sobre estas palabras de Schopenhauer[60], su maestro predilecto: «El fastidio da la noción del tiempo, la distracción la quita; luego, si la vida es tanto más feliz cuanto menos se la siente, lo mejor sería verse uno libre de ella.»

---

[53] 1.ª ed.: *habría*.
[54] En la 1.ª ed. el párrafo se para ahí.
[55] 1.ª ed.: *exclamó de pronto*.
[56] Fracasado, frustrado en sus proyectos o ambiciones.
[57] 1.ª ed.: *recostado contra la reja*.
[58] Galicismo por «dijo».
[59] 1.ª ed.: *un largo bostezo*.
[60] Arthur Schopenhauer (1788-1860), filósofo alemán. En su obra máxima, *El mundo como voluntad y como representación* (1818), distingue una voluntad de vivir común a todos los seres vivos, fuente de sufrimiento, pero a la vez considera el estado estético y la obra de arte como los medios para superar este sufrimiento. Su pesimismo tuvo una gran influencia a finales del XIX en la filosofía y la literatura, especialmente la escuela naturalista francesa.

IV

El sol, a plomo, quemaba, blanco como una bola de vidrio en un crisol.

Los pastos marchitos habían dejado caer sus puntas, como inclinando la cabeza agobiados por el calor.

Echados entre las pajas, entre el junco en los cardales, al reparo, ni pájaros se veían.

Sólo un hombre, envuelta la cabeza en un ancho pañuelo de seda, iba cruzando al galope.

Los chorros de sudor de su caballo jadeante[61] regaban la rastrillada[62]. El jinete llevaba las riendas flojas. De vez en cuando lo animaba castigándolo por la paleta con el rebenque[63] doblado.

Después de largo rato de andar, junto a la huella, halló a su paso rodeada una majada[64].

Las ovejas, gachas, inmóviles, apiñadas en densos pelotones, parecían haber querido meterse unas en otras buscando sombra.

A corta distancia estaba el puesto[65]: dos piezas blanqueadas, de pared de barro y techo de paja.

A la izquierda, en ángulo recto, una ramada[66] servía de cocina.

---

[61] 1.ª ed.: *cabizbajo y jadeante*.

[62] Senda ancha en campo abierto, formada por el paso de jinetes o tropillas de caballos.

[63] Látigo corto y recio para estimular la cabalgadura.

[64] Reunido el rebaño como en un rodeo, aquí para resguardarse del sol.

[65] Dependencia de una estancia, pequeño rancho donde vive el *puestero* o encargado de cuidar los cercos, sembrados y haciendas.

[66] Enramada, cobertizo amplio con techo de ramas o paja, sin paredes.

A la derecha, un cuadro cercado de cañas: el jardín.

En frente, entre altos[67] de viznaga[68], un pozo con brocal de adobe y tres palos de acacia en horca sujetando la roldana y la huasca[69] del balde.

Más lejos, protegido par la sombra de dos sauces, el palenque[70].

Bajo el alero del rancho[71], colgando de la última lata del techo, unas bolas de potro[72] se veían.

Tiradas por el suelo acá y allá, contra la pared, prendas viejas: un freno con cabezada[73], una bajera[74], una cincha[75] zurcida arrastrando su correa.

—¡Ave María purísima! —gritó el que acababa de llegar, sin bajarse de su caballo.

Un perro bayo, grande, pronto como volido de perdiz, se fue sobre él.

—¡Ave María purísima! —repitió dominando la voz furiosa del animal que, con los pelos parados[76], se abalanzaba al estribo[77]...

—¡Sin pecado concebida! —contestaron entonces desde adentro— ¡Fuera, Gaucho... fuera... fuera!...

---

[67] Montones, grandes cantidades.

[68] O biznaga: planta herbáceo-leñosa, aromática, de flores blancas en umbela muy vistosa. (Segovia.)

[69] Soga o lonja de cuero.

[70] Estaca, poste para atar las cabalgaduras.

[71] La típica vivienda campesina, con paredes de barro y techo de paja, el que, al sobresalir de las paredes, forma un alero.

[72] Boleadoras formadas por tres piedras gruesas como el puño, forradas en cuero, y atadas a un centro común con fuertes cuerdas de lo mismo, de más de una vara de largo. Las usan tomando la más pequeña, que llaman *manija*; y haciendo girar sobre la cabeza las otras dos voladoras las despiden a las patas del caballo o vaca que quieren enredar. (Francisco Javier Muñiz, citado por Saubidet.)

[73] Correas que ciñendo la cabeza, frente y hocico de la caballería, le aseguran el freno en la boca. (Santillán.)

[74] Manta de tejido grueso que forma parte del apero criollo y se coloca directamente sobre el lomo del caballo, sirviendo de *sudadera*, como también se la llama. (Santillán.)

[75] Pieza del recado de montar con que se asegura la silla.

[76] De punta, erizados.

[77] 1.ª ed.: *le estaba ladrando al estribo*.

Y hablando al recién venido:

—Apéese, patrón, y pase adelante —exclamó por la puerta entreabierta una mujer, mientras asomando con esquivez la cara, una mano en la hoja de la puerta, se alzaba con la otra el ruedo de la enagua para taparse los senos.

—Tome asiento, don Andrés, y dispense, ya voy —prosiguió desde la pieza contigua así que Andrés hubo entrado.

Seis sillas negras de asiento de madera, una mesa y un estante de pino queriendo imitar caoba, eran los muebles.

A lo largo de la pared, clavadas con tachuelas, se veía una serie de caricaturas del *Mosquito*[78], regalo del mayoral de la galera: el General Sarmiento vestido de mariscal, el Doctor Avellaneda, enano sobre tacos de gigante, el brigadier D. Bartolo Mitre, en la azotea de su casa, el Doctor Tejedor, de mula, rompiendo a coces los platos en un almacén de loza, la sombra de Adolfo Alsina llorando las miserias de la patria...

—¿Qué estaba haciendo, Donata?

—Sesteando, don Andrés.

—¿Solita?

—Sí, sola.

Tata se fue al pueblito esta mañana de madrugada.

Al oírla, un gesto de satisfacción asomó al rostro de Andrés.

Luego, apagando el ruido de sus pasos, caminó hasta la abertura de comunicación entre ambas habitaciones, mal cerrada con ayuda de una jerga pampa[79], y allí, por una endija[80], echó los ojos.

---

[78] Semanario humorístico que se publicó en Buenos Aires desde 1863 hasta 1893. Eran famosas las caricaturas del dibujante Enrique Stein. Los cinco personajes aludidos fueron eminentes políticos de la época. Carlos Tejedor, gobernador de la Provincia de Buenos Aires, se levantó en armas contra el Gobierno de la Nación cuando éste decidió federalizar Buenos Aires en 1880. Adolfo Alsina ocupó los cargos sucesivos de Gobernador de la provincia bonaerense, Vicepresidente de la República y Ministro de la Guerra. En cuanto a Mitre, Sarmiento y Avellaneda, remítase el lector a lo dicho en las primeras páginas de la *Introducción* a esta edición. Tejedor y Mitre fueron, en *Potpourri*, los blancos privilegiados de la punzante ironía de Cambaceres.

[79] Pieza burda de lana realizada con motivos geométricos propios de los indios pampas.

[80] O hendija: rendija.

Dos cujas[81] altas y viejas, separadas una de otra por un cortinado de zaraza, varias sillas de palo y paja torcida, una caja grande para ropa, una mesa con floreros, una imagen sagrada en la pared y en un rincón, un lavatorio de fierro con espejo, completaban el ajuar del dormitorio común.

Donata, atareada, iba y venía por el cuarto, se vestía.

Acababa de trenzarse el pelo largo y grueso, con reflejos azules como el pecho de los renegridos[82].

El óvalo de almendra de sus ojos negros y calientes, de esos ojos que brillan siendo un misterio la fuente de su luz, las líneas de su nariz ñata[83] y graciosa, el dibujo tosco, pero provocante y lascivo de su boca mordiendo nerviosa el labio inferior y mostrando una doble fila de dientes blancos como granos de mazamorra[84], las facciones todas de su rostro parecían adquirir mayor prestigio en el tono de su tez de china, lisa, lustrosa y suave como un bronce de Barbedienne[85].

Andrés, inmóvil, sin respirar siquiera, la miraba. Sentía una extraña agitación en sus adentros, como la sorda crepitación de un fuego interno, como si repentinamente, a la vista de aquella mujer medio desnuda, le hubiesen derramado en las venas todo el extinguido torrente de sangre de sus veinte años.

Ella, sin sospechar que dos ojos hambrientos la devoraban, proseguía descuidada su tarea mientras, deseosa de evitar a Andrés el fastidio de la espera, de cuando en cuando le hablaba:

—¿Y usted, patrón, con tanto sol, qué milagro?

Se había sentado; iba a ponerse las medias.

Al cruzar una sobre otra las piernas, alzándose la pollera[86], mostró el pie, un pie corto, alto de empeine, lleno de carne, el delicado dibujo del tobillo, la pantorrilla alta y gruesa, el

---

[81] Cama ordinaria, catre.
[82] Pájaro común parecido al tordo, cuyo plumaje es de un negro intenso.
[83] Roma, chata.
[84] Plato popular criollo hecho de maíz blanco hervido, que se sirve generalmente frío con leche y azúcar.
[85] Ferdinand Barbedienne (1810-1892). Fundidor francés que reprodujo en bronce numerosas esculturas antiguas y modernas.
[86] Falda.

rasgo amplio de los muslos y, al inclinarse, por entre los pliegues sueltos de su camisa sin corsé, las puntas duras de sus pechos chicos y redondos.

Descorriendo de golpe la cortina, Andrés entró[87]:

—¡Sólo por verte a ti, mi hijita, he venido!

Y en la actitud avarienta del que teme que se le escape la presa, arqueado el cuerpo, baja la cabeza, las manos crispadas, un instante se detuvo a contemplarla.

Después, fuera de sí, sin poder dominarse ya, en el brutal arrebato de la bestia que está en él[88], corrió y se arrojó sobre Donata.

—¡Don Andrés, qué hace por Dios! —dijo ésta, asustada, fula[89], pudiendo apenas incorporarse[90].

A brazo partido la había agarrado de la cintura. Luego, alzándola en peso como quien alza una paja, largo a largo la dejó caer sobre la cama.

La tocaba, la apretaba, la estrujaba, le llenaba de besos locos la boca[91], el seno, las piernas.

Ella, pasmada, absorta, sin atinar siquiera a defenderse, acaso obedeciendo a la voz misteriosa del instinto, subyugada a pesar suyo por el ciego ascendiente de la carne, en el contacto de ese otro cuerpo de hombre, como una masa inerte se entregaba.

De pronto, dio un agudo grito de dolor y soltó el llanto.

Breves instantes después, con el gesto de glacial indiferencia del hombre que no quiere, Andrés tranquilamente se bajaba de la cama, daba unos pasos por el cuarto y volvía a apoyarse sobre el borde del colchón.

—Pero, ¿qué tienes, qué te pasa, por qué estás ahí llorando, zonza?... —dijo a Donata inclinado, moviéndola con suavidad del brazo—, ¿qué te sucede, di, ni tampoco un poquito me quieres, que tanto te cuesta ser mía?

---

[87] En la 1.ª ed., *de golpe* termina la frase.
[88] 1.ª ed.: *en todo hombre.*
[89] Azorada, atónita.
[90] La 1.ª ed. trae *pararse* en lugar de *incorporarse*. La acepción argentina de *pararse* es la de «levantarse», «ponerse de pie».
[91] 1.ª ed.: *la deshacía a caricias, le cubría de besos locos...*

Y como ella, entregada toda entera a su dolor y a su vergüenza[92], vuelta de espaldas, encogido el cuerpo[93], la cara
oculta entre las manos, continuara derramando copiosas lágrimas:

—Vaya, mi alma, no sea mala, déme un besito y no llore.

—¡Don Andrés, por vida suya, déjeme!

Hubo un largo momento de silencio; se oía sólo el zurrido
de las moscas pululando en las rendijas por donde entraba el
sol.

—¡Bueno, ingrata —exclamó por fin Andrés deseoso de
acabar cuanto antes, violento de encontrarse allí, con ganas
de irse—, ya que tan mal me tratas, me retiraré, qué más!

Y despacio, mientras se dirigía hacia la puerta:

—Después, cuando se te haya pasado el enojo volveré, si
acaso —agregó levantando con toda calma la cortina de jerga
y saliendo a montar a caballo, entre risueño y arrepentido de
lo que había hecho, como harto ya.

---

[92] 1.ª ed.: *Y como ella, abismada toda entera en su dolor y en su vergüenza...*
[93] 1.ª ed.: *encogida.*

V

Abandonado[94] Andrés a su negro pesimismo, minada el alma por la zapa de los grandes demoledores humanos[95], abismado el espíritu en el glacial y terrible «nada» de las doctrinas nuevas, prestigiadas a sus ojos por el triste caudal de su experiencia, penosamente arrastraba su vida en la soledad y el aislamiento.

Insensible y como muerto, encerrado dentro de las paredes mudas de su casa, días enteros se pasaba sin querer hablar ni ver a nadie, arrebatado en la corriente destructora de su siglo, pensando en él, en los otros, en la miseria de vivir, en el amor —un torpe llamado[96] de los sentidos—, la amistad —una ruin explotación—, el patriotismo —un oficio o un rezago de barbarie—, la generosidad, la abnegación, el sacrificio —una quimera o un desamor monstruoso de sí mismo—, en el cálculo de la honradez, en la falta de ocasión de la virtud; y nada ni nadie hallaba gracia ante el fuero inexorable de su amargo escepticismo. Ni aun el afecto de la madre, hijo tan sólo del propio sufrimiento al ver sufrir a los hijos; ni aun Dios, un absurdo espantapájaros inventado por la collonería[97] de los hombres.

Y era un desequilibrio profundo en su organismo, desigualdades de carácter, cambios bruscos, infundados, irritaciones

---

[94] 1.ª ed.: *Entregado*.
[95] 1.ª ed.: *modernos*.
[96] Llamamiento.
[97] Del italiano *coglióne*, *coglionería*. Su significado aquí no es el registrado por el DRAE, el de «cobardía», «pusilanimidad» —que no se usa en Argentina—, sino el de «tontería», «majadería», «estupidez».

sin causa ni razón, las mil pequeñas contrariedades de la existencia exasperándolo hasta el paroxismo de la ira, determinando en él una extraña perturbación de facultades, como un estado mental cercano de la locura.

Durante las lentas y abrumadoras horas de la siesta, en la escasa media luz de sus postigos entornados, repentinamente solía tirarse de la cama y abrir su balcón de par en par.

A la vista de la tierra reseca y partida en grietas por el sol, de los pastos abatidos y marchitos, en presencia del viento exhalando el monótono gemido de su voz al desgarrarse en su choque contra las copas de los árboles, o levantando a lo lejos la espiral de negros remolinos como humaredas del campo en combustión, un fastidio inaguantable, un odio, una saciedad de aquel cuadro mil veces contemplado lo invadía.

Daba un golpe rabioso a la ventana, echaba aldaba a los postigos y en las densas tinieblas de su casa convertida en un sepulcro, se arrojaba de espaldas a la cama y fumaba, fumaba incesantemente, unos tras otros paquetes enteros de cigarrillos turcos, su tabaco favorito, o en un rincón, sentado, los codos sobre las rodillas, la cabeza entre las manos, permanecía ensimismado e inmóvil largo tiempo.

De pronto, un deseo violento de salir, de andar, una fiebre, un furor de movimiento lo asaltaba.

Ensillaba él mismo su caballo y, contra el viento[98], lagrimeándole los ojos, silbándole los oídos, galopaba, corría, devoraba locamente las distancias.

O la pasión de la caza llegaba a absorberlo por completo y se levantaba entonces al alba y en su afán de matar y de hacer daño, ganaba el campo.

Los altos de aves, de patos, de batitúes[99], de perdices, eran arrojados después a los perros y a los cerdos. Su paladar no podía soportar esas comidas.

Otras veces, en sus horas de calma y de quietud, como si su mal compadecido, de tarde en tarde, hubiese querido hacerle

---

[98]   La 1.ª ed. intercala ahí *el sombrero en la nuca.*

[99]   Ave zancuda de cuerpo chico y alas largas y puntiagudas que frecuenta los bañados y lagunas. Su carne es muy estimada. Es una especie de becasina, de color más claro. (Saubidet.)

la limosna de una tregua, tendido sobre su hamaca a la sombra de los paraísos de la quinta, una pequeñez, un detalle[100] lo atraía; cualquier ínfimo accidente[101] de la vida animal en sus manifestaciones infinitas.

Eran, ya las largas filas de hormigas yendo y viniendo por la cinta gris de sus caminos, deteniéndose, cruzando las patas, como dándose la mano al encontrarse y prosiguiendo luego, atareadas, unas con carga, otras de vacío su trabajo paciente y previsor.

Ya el hábil manejo, la cábula[102] astuta de los sapos, en su guerra sin cuartel contra las moscas, tirándoles a traición, en un descuido, la certera estocada a fondo de sus lengüetazos.

Ya, algún hornero[103] arruinado por la maldad de los hombres o la inclemencia del tiempo, caída y rota su casa, obligado a levantarla de nuevo, trabajando acá y allá, contra el pozo, en el borde de los charcos y, una vez hecha la mezcla, preparado el material, volando a emplearlo en el edificio admirable de su nido con la ayuda de su pico, como un albañil con la de su cuchara.

Una tarde, después de comer, Andrés, fumaba paseándose frente a su casa[104].

De pronto, sintió un tumulto, dio vuelta y vio a Bernardo, su gato, su bestia preferida, el único ser entre los seres que lo rodeaban para el cual, por una aberración acaso lógica del estado mórbido de su alma, tenía siempre un mimo, una caricia, perseguido de cerca por el perro del capataz.

Como una pelota de goma, el animal acosado, loco, saltó, se subió a la copa de un árbol, junto a un nido de benteveos.

---

[100] 1.ª ed.: *una nada.*

[101] 1.ª ed.: *detalle.*

[102] Ardid, trampa, enredo.

[103] Ave de unos quince centímetros de alto, de color pardo acanelado. Construye anualmente en los árboles, postes, casas, etc., su nido de barro y paja, que es durísimo, en forma de horno. A esta hábil construcción que realiza en pocos días, debe su nombre. Tiene un aleteo muy cómico y expresivo y demuestra gran contento después de una lluvia, cuando reinicia su trabajo con barro fresco. (Saubidet.)

[104] 1.ª ed.: *Una tarde, después de comer, había salido Andrés, fumaba frente a su casa.*

La hembra, entonces, alarmada, creyendo en una agresión, encrespó furiosa las plumas; gritaba, se agitaba, golpeaba desesperadamente el pico contra un gajo. El gato, por su parte, haciendo caso omiso de aquella vana hojarasca y todo estremecido por la inminencia del peligro, clavaba las uñas en el árbol y los ojos en el suelo donde, lamiéndose el hocico y sacudiendo la cola con un movimiento nervioso de culebra, su terrible adversario lo acechaba.

Un momento se detuvo Andrés a contemplar la escena. ¡Era eso el orden, la decantada armonía del universo; era Dios aquello, revelándose en sus obras!...

Pero, bruscamente, tomando parte él también en la querella, entró a la casa, sacó su revólver y dejó tendido al perro de un balazo.

Luego, trepado al árbol con el auxilio de una escalera de podar que había allí cerca:

—¡Pobrecito Bernardo, casi me lo han muerto! —dijo alargando a éste la mano suavemente.

A su contacto, el gato, ofuscado, dio vuelta y le metió las uñas.

—¡Canalla! —exclamó Andrés—, ésas son las gracias que me das, es así como me pagas... ¡Pareces hombre tú!

VI

Había fiesta en el pueblito.

Un viejo rico, ladrón de vacas, creyendo[105] pagar las hechas y por hacer con andar metido en las iglesias y dar su plata[106] a los frailes, generosamente acababa de donar un flamante y relumbroso altar mayor. El hecho se celebraba.

En su calidad de vecino importante del partido, Andrés naturalmente fue invitado. Así como en diversa situación[107], habría agarrado la misiva y héchola pedazos sin más vuelta, ese día, en un revuelo antojadizo de su espíritu, porque sí:

«Iré», se dijo y mandó echar la tropilla[108] y atar a cuatro caballos su carruaje.

---

[105] La 1.ª ed. intercala ahí *liquidar sus cuentas con el diablo y...*
[106] Dinero, pasta.
[107] 1.ª ed.: *en otra situación.*
[108] Manada de caballos.

VII

La plaza, un alfalfal cruzado por filas de paraísos entre los que, de trecho en trecho, anchos claros[109] se veían como afrentas de la seca y las hormigas al rostro de la estética, ostentaba multitud de tiras de coco[110] blanco y celeste flameando al tope de astas de tacuara[111].

En las pulperías[112] los borrachos, los «mamaos»[113], quemaban gruesas de cohetes.

Los muchachos, en ronda, agarrados de las manos, saltaban gritando.

Los caballos atados a los postes de las veredas[114], asustados, se sentaban, reventaban los cabestros, las riendas[115].

De vez en cuando, un carricoche pasaba sonando con un ruido de matraca. Lo envolvía una nube de polvo.

En el atrio, los hombres se reunían. El Juez de Paz, el Comandante, el médico, el boticario, el Comisario de Policía, el maestro de escuela, los dueños de las casas de negocio, municipales o personajes influyentes, los ases, en un grupo.

Un poco más allá, pisando un poco más abajo, el gremio de dependientes rodeando al empleado telegrafista.

---

[109] 1.ª ed.: *grandes claros*.

[110] Percal.

[111] Tipo de bambú de unos 20 o 25 metros de alto.

[112] Negocio en el que se servían bebidas alcohólicas y se vendían artículos varios, especialmente comestibles, y que era además un lugar de reunión. (Chuchuy.)

[113] *Mamado*: borracho, ebrio.

[114] Aceras.

[115] 1.ª ed.: *y las riendas*.

En la calle, junto al cordón de la vereda, las últimas cartas[116], el chiripá y la camiseta se cortaban solos[117].

Las mujeres, hechas un cuero de escuerzo[118] enojado, de a dos, de a tres, iban entrando.

Todo en ellas juraba, blasfemaba de verse junto, desde el terciopelo y la seda hasta el percal. Surtidos completos de pacotilla[119] alemana, salidos de los registros[120] de la calle de Rivadavia, habían hallado allí su *débouché*[121].

La campana, rajada, con voz de vieja llamaba a misa.

Adentro, el cura, un vizcaíno carlista cuadrado de cuerpo y de cabeza, hombre de pelo en pecho y de cuchillo en la liga, se disponía a oficiar pomposamente en el altar, objeto de la fiesta.

Concluida la ceremonia religiosa, la concurrencia[122] fue invitada a reunirse en el salón municipal donde un refresco había sido preparado.

Los brindis no tardaron en dejarse oír, brindis de cerveza y de *asti spumante* disfrazado de *champagne*.

El Juez de Paz, Presidente de la Municipalidad, de pie, decorosamente tomó la palabra y dijo:

—Señores:

Designado por mis honorables colegas a nombre de la corporación que presido, cábeme el honor, a mí, modesto y humilde obrero, de dirigiros la palabra en este memorable día que jamás se borrará de nuestros recuerdos.

Con el corazón henchido de cristiano gozo, habéis asistido, señores, como buenos católicos que sois, al grandioso espectáculo de la ceremonia en que nuestro digno prelado (el cura aquí presente), acaba de inaugurar solemnemente el magnífico altar que un ilustre patriota y venerable anciano (aquí presente también), en un acto de generoso desprendimiento, tuvo a bien donar a la Iglesia de este pueblo.

---

[116] 1.ª ed.: *las últimas cartas de la baraja.*
[117] No se juntaban con los demás, iban por su lado.
[118] Especie de sapo de color verde.
[119] 1.ª ed.: *Cajones enteros de pacotilla.*
[120] Casa de comercio importante y mayorista.
[121] Voz francesa. Salida comercial, mercado.
[122] 1.ª ed.: *la numerosa concurrencia.*

Es, a no dudarlo señores, un gran paso el que hemos dado en el sentido del adelanto de la localidad.

Pero me veo forzado a declararlo: él no basta.

Tenemos altar, señores, es cierto pero yo pregunto, ¿qué ganamos con eso si carecemos de templo?

El local que hoy sirve a ese importante objeto, indigno de la pompa y augusta majestad del culto de nuestros padres, reducido e incapaz, por otra parte, para contener a los innumerables fieles que en alas de la fe se congregan fervorosos a encomendar sus almas a la divina Providencia del Creador, es de todo punto inadecuado a los fines a que se halla consagrado.

Otra necesidad no menos sentida e imperiosa, señores, es la de una casa apropiada para escuela.

Más de las tres cuartas partes de los niños del partido (sensible y doloroso me es decirlo), más de las tres cuartas partes de esos niños que hoy son una esperanza risueña de la patria y que mañana serán una hermosa realidad, viven sumidos en la ignorancia y la abyección que ella engendra, debido sólo a la falta de un edificio espacioso y cómodo donde sus tiernos corazones (y es así señores, como las pequeñas causas producen los grandes efectos), donde sus tiernos corazones puedan concurrir a recibir la semilla fecunda de la educación común que, arrojada en tierra argentina, produce, señores, el árbol generoso de la libertad.

Sí, señores, lo digo sin vueltas ni rodeos, con la franqueza brutal de un pecho republicano, la inercia nos mata, nos consume, es necesario que la iniciativa individual, esa iniciativa progresista y salvadora, se haga sentir de una vez si queremos llegar a ser grandes y a que se nos trate con respeto, si anhelamos realizar en nuestra esfera el gran programa del *self government* (gobierno de lo propio) merced al cual las naves de la orgullosa Albión surcan hoy con sus aceradas proas los mares de polo a polo.

Que una comisión de vecinos se constituya (y desde ya me permito proponeros su nombramiento inmediato), se constituya digo, con la misión de recabar del superior gobierno su eficaz y salvador concurso en bien de esta apartada y lejana localidad.

Ese concurso, señores, abrigo la convicción firme y profunda, no nos ha de ser rehusado.

Abonan mis palabras las nobles prendas de carácter del Exmo. Señor Gobernador de la Provincia, de ese ciudadano ilustre y preclaro, exaltado a las altas regiones del poder por el potente soplo de las auras populares y que, con aplauso universal, rige hoy, señores, los destinos de esta benemérita provincia inspirándose en las fuentes del más puro y acrisolado patriotismo, faro de eterna luz a cuya sombra marchan los pueblos por la senda del progreso y de la civilización, hacia su prosperidad y engrandecimiento futuro[123] en los siglos venideros.

He dicho.

Se oyó un torrente de aplausos desbordante, atronador; el orador fue calurosamente felicitado por sus colegas.

Luego, sin demora y por general asentimiento, se procedió a dar forma a la idea.

A título de ser Andrés, según se aseguró, condiscípulo y amigo del Gobernador, alguien propuso que fuera aclamado el nombre del primero en calidad de miembro de la diputación.

Pero aquí, como volcando un chorro de agua fría sobre aquel loco entusiasmo:

—¿Me van ustedes a permitir, señores, que les dé sencillamente un consejo? —dijo Andrés con un gesto de impaciencia disimulado apenas en la corrección y cultura de sus modales.

—Sí, señor, hable, hable don Andrés...

—Déjense de perder su tiempo en Iglesias y en escuelas; es plata tirada a la calle.

Dios no es nadie; la ciencia un cáncer para el alma.

Saber es sufrir, ignorar, comer, dormir y no pensar, la solución exacta del problema, la única dicha de vivir.

En vez de estar pensando en hacer de cada muchacho un hombre, hagan un bestia... no pueden prestar a la humanidad mayor servicio.

Luego, como aligerado del peso de la carga de bilis que acababa de arrojar, impasible sacó el reloj.

---

[123] 1.ª ed.: *futuro engrandecimiento.*

—Las cuatro de la tarde y ocho leguas de camino por delante.

¡Queden ustedes con Dios![124].

Y salió con todo aplomo, dejando bizco de apampado[125] a su auditorio.

1.ª ed.: *¡Señores, queden Vds. con Dios!*

[125] Atónito, aturdido, boquiabierto. Literalmente, desorientado por la inmensidad de la pampa.

VIII

Apenas sus amores, si es que amor podía llamarse su comercio con Donata, bastaban a llenar algunos instantes de su vida.

De vez en cuando iba al rancho, la veía, pasaba una hora con ella si la hallaba sola. Buscaba una excusa y se volvía si daba con el padre, ño[126] Regino, un servidor antiguo de la casa, asistente del padre de Andrés en las patriadas[127] de antaño contra la tiranía[128], uno de esos paisanos[129] viejos cerrados, de los pocos que aún se encuentran en la pampa y cuyo tipo va perdiéndose a medida que el elemento civilizador la invade.

Había visto niño a Andrés, le llamaba el patrón chico y tenía con él idolatría; era un culto, una pasión.

Donata, por su parte, como esas flores agrestes[130] de campo que dan todo su aroma, sin oponer siquiera a la mano que las arranca la resistencia de espinas que no tienen, en cuerpo y alma se había entregado a su querido.

---

[126] Fórmula de tratamiento equivalente a *don* que suele darse en el campo a las personas de baja condición social. Para unos (Guarnieri), se formó sobre *ña*, aféresis de *doña;* para otros (Santillán, Kany...) es alteración progresiva de *señor, señó, ñó.*

[127] Campañas o acciones guerreras arriesgadas emprendidas en favor de la patria.

[128] Se alude aquí a la tiranía de Rosas (1793-1877), el caudillo de los *federales.* Fue primero gobernador de la provincia de Buenos Aires (1829-1832) y luego dictador de Argentina, desde 1835 hasta 1852, año en que lo venció Urquiza en la batalla de Caseros.

[129] Persona del campo que sigue practicando los usos y costumbres de la vida de la campaña. (Santillán.)

[130] 1.ª ed.: *salvajes.*

Huérfana de madre, criada sola al lado de su padre, sin la desenvoltura precoz, sin la ciencia prematura que el roce con las otras lleva en los grandes centros al corazón de la mujer, ignorante de las cosas de la vida, conociendo sólo del amor lo que, en las revelaciones oscuras de su instinto, el espectáculo de la naturaleza le enseñaba, confundía la brama de la bestia con el amor del hombre.

Andrés la buscaba, luego la quería.

No sabía más y era feliz.

Viva, graciosa, con la gracia ligera y la natural viveza de movimientos de una gama, cariñosa, ardiente, linda, pura, su posesión, algo como el sabor acre y fresco de la savia, habría podido hacer la delicia de su dueño en esas horas tempranas de la vida en que el falso prisma de las ilusiones circuye de una aureola a la mujer.

Hoy, era apenas un detalle en la existencia de Andrés.

Una cosa, carne, ni alguien siquiera. Menos aun que Bernardo, el gato, el animal mimado de su amante.

En épocas, sin embargo, solía Andrés repetir con más frecuencia sus visitas; se informaba de las salidas de ño Regino al campo o al pueblito, él mismo lo alejaba, le creaba ocupaciones, le ordenaba trabajos en la hacienda de que era el viejo capataz; mandaba parar rodeo[131], hacer recuentos, galopar la novillada, inventaba mil pretextos para poder estar solo con Donata, mostrándole así un apego, un interés que la infeliz en su ignorancia, aceptaba como pruebas de cariño y que eran sólo en Andrés otras tantas caprichosas alternativas de la fiebre del deseo.

---

[131] *Rodeo* es el lugar abierto destinado a la reunión del ganado y también la operación de separar y apartar haciendas. *Parar rodeo* es agrupar el ganado para algún remate, compra o venta.

IX

Una vez tuvo un antojo, un refinamiento de estragado: verla desnuda en sus brazos, dormir con ella:

—Ño Regino, dijo al viejo, necesito que usted me haga un servicio.

—Mande patrón.

—He comprado afuera una punta de vacas, previa vista, y quiero que usted me las revise antes de cerrar el trato.

—Galopiaré[132], patrón.

—¿Cuándo se va?

—Esta tarde mesmo puedo ensillar, si le parece.

Le pegaré con la fresca[133].

—¿Y Donata?

—¿Donata dice?

Se quedará no más...[134].

—¿Sola?

—¡Oh, y si no, quién se la va a comer en las casas!

Ahí también le dejo al peoncito pa un apuro.

—¿Qué, no tiene miedo de dejarla sola con el peoncito[135]?

—¿Miedo?

¿Y de que voy a tener miedo?

---

[132] Aquí, como más adelante, Cambaceres recrea el lenguaje de los peones y de la gente de campo.

[133] *Pegarle:* ejecutar una acción sobrentendida por el contexto. *La fresca:* las primeras horas de la mañana en el verano. Por lo tanto, el sentido, aquí, es el de «partiré de mañana cuando empiece a refrescar».

[134] 1.ª ed.: *Se quedará no más, pues...*

[135] En la 1.ª ed. el autor pone *pioncito* en boca del regidor y *peoncito* en la de Andrés.

105

—Es que el muchacho ese es medio[136] hombrecito ya, y usted sabe que el diablo las carga...

—¡Buen gaucho pa un desempeño! —dijo soltando la risa ño Regino—. ¡Qué va a ser eso, señor, si es como rejusileo[137] en tiempo de seca!

Ni tampoco vaya a creerla tan de una vez amarga[138] a mi hija, patrón —agregó con un ciego engreimiento de padre[139]— que sea capaz de abrirle el pingo[140] así no más a cualquiera.

Desde[141] chica la he enseñao a que viva sobre la palabra como animal de trabajar en el rodeo y no es por alabarla, señor, pero me ha salido medio alhaja la moza.

—Bueno, ño Regino —dijo Andrés sonriéndose él también—, vaya con Dios, alístese y vuelva por la carta orden.

---

[136] El uso de *medio* en el Río de la Plata es muy extenso, impreciso y acomodadizo. Usado a modo de adverbio viene a significar, según el caso, «algo», «un poco», «bastante», «hasta cierto punto», «mucho», «muy», etc. Aquí, *medio hombrecito,* como más adelante *medio alhaja* aparecen como una reticencia verbal, como una manera de dar a entender mucho diciendo poco: «muy hombre», «toda una joya».

[137] Por *refusileo:* relampagueo.

[138] Cobarde, floja, sin carácter.

[139] 1.ª ed.: *con el ciego engreimiento de los padres.*

[140] El *pingo* designa al caballo brioso y veloz. *Abrirse el pingo* significa «desviarse el caballo de carrera hacia el lado exterior de la pista». El sentido aquí es el de «apartarse de sus obligaciones, descarriarse, tener un desliz».

[141] 1.ª ed.: *Dende.*

X

A eso de las diez de la noche, Andrés se apeaba en un bajo[142] y ataba su caballo a unos troncos de duraznillos[143].

Era cerca del rancho de Donata.

Gaucho había salido al trote, a recibirlo. Pero Gaucho no le ladraba ya; era su amigo ahora.

Medio arrastrándose por entre el pasto[144], agachando la cabeza y meneando la cola de alegría, le lamía las manos, lo olfateaba.

Un momento después, ambos se dirigían a la casa.

El muchacho dormía tirado en la ramada.

Donata, prudentemente, sólo había dejado abierta la ventana que miraba al lado opuesto. Andrés pasó por ésta y entró.

Un olor a claveles y a mosquetas[145], con mezcla de malva y yerba buena, zahumaba la habitación.

Bajo la imagen santa y entre los dos floreros adornados con las flores del jardín, ardía una vela de sebo:

—¿Por qué has dejado luz?

—Por tata[146] —contestó ella acurrucada entre las sábanas—, siempre que se ausenta prendo una para que la virgen lo ampare.

---

[142] Depresión u hondonada, fresca y acogedora por su vegetación. (Santillán.)

[143] Planta que se cría en los lugares húmedos, que da una fruta de color negro. (Garzón.)

[144] Césped, hierba que crece en un prado o en un jardín.

[145] 1.ª ed.: *y mosquetas.*

[146] Padre. Forma de tratamiento respetuoso que, en la Argentina finisecular, se usaba entre el pueblo.

—¿La virgen?

Hombre, no me parece mala la idea...

Quiere decir que si le prendieras dos, te vendería su protección, por partida doble... a no ser que tu virgen sea una virgen tramposa, capaz de robarte la plata.

Voy a ponerle otra más.

Y diciendo y haciendo, pasó a la pieza contigua, encendió un fósforo y volvió poco después acercando repentinamente al rostro de Donata la vela que traía en la mano.

—¡Apague eso, D. Andrés, basta con una! —exclamó ella llena de vergüenza, tapándose hasta la cabeza y dando vuelta hacia el lado de la pared, mientras un ligero temblor, una emoción, alteraba el timbre puro y cristalino de su voz:

—¡No señor, han de ser dos!

Luz era lo que quería.

Luego, desde una silla, desnudándose:

—¿A qué hora se fue tu padre?

—A la oración[147].

—¿Y se habrá ido de veras, che[148]? —siguió en tono de broma, haciéndose el que no las tenía todas consigo—, ¡no sea el diablo que se nos aparezca de pronto!

—¡Solamente —Dios lo libre y lo guarde— muerto lo traerían!

Tratándose de servir a su patrón chico, ¡cuándo sabe andar con mañas el viejo!...

Al oírla, algo como la sombra de un remordimiento cruzó la mente de Andrés, un instante inmóvil y pensativo.

Pero alzándose luego de hombros, con un gesto de forzada indiferencia, como queriendo sacudir pensamientos enojosos:

—Hazme lugar—, dijo a Donata y bruscamente se metió en la cama.

· ·

Miró el reloj: eran las once y media:

—Mi hijita, yo nunca duermo con luz.

---

[147] A las seis.
[148] Interjección familiar, cariñosa, para llamar la atención de alguna persona. Voz de cuestionado origen.

Creo que tu virgen puede darse ya por satisfecha.

Con tu permiso, voy a apagar las dos velas esas que me están cargando[149].

A oscuras, quiso dormir; imposible.

Las sábanas, unas sábanas[150] de hilo grueso y duro, impresionaban desagradablemente su piel habituada a la batista.

La atmósfera encerrada de la pieza, el aroma capitoso[151] de las flores, alterado por un hedor penetrante a pavesa, lo mareaba, le sublevaba en ansias el estómago.

Repentinos tufos de calor le abrasaban la cara, la cabeza. La vecindad de Donata, sus carnes frescas y mojadas de sudor, ya un brazo, el seno, una pierna, el pie que Andrés, en su desasosiego constante alcanzaba a rozarle por acaso, bruscamente lo hacían apartarse de ella como erizado al contacto de un bicho asqueroso y repugnante.

Sentía una picazón, un insoportable escozor en todo el cuerpo. Llegó a creer[152] que las chinches lo estaban devorando; encendió luz y miró: no encontró nada.

Excitado, sin embargo, inquieto, febriciente[153], se movía sin cesar de un lado a otro, se revolvía desesperado sin poder pegar los ojos, se acostaba de espaldas, sobre el flanco, se quitaba las sábanas de encima, sacaba las piernas fuera del colchón.

¡Ah! ¡su casa, su cuarto, su cama, el aire puro de sus balcones abiertos!...

Bien merecido lo tenía; ¡qué demonios le había dado por meterse en un rancho miserable a dormir con una china!...

Al fin, no pudiendo aguantar más aquel infierno, de un salto se levantó, fue y abrió la ventana.

Junto con la luz pálida de la luna, entró la brisa fresca de la noche.

Como un sediento, abrió la boca y se puso a beberla a tragos.

---

[149] Molestando, fastidiando.

[150] 1.ª ed.: *Las sábanas* (sin más).

[151] Galicismo. Que sube a la cabeza, embriagador. Procede del latín *caput, -itis*. Esta acepción no viene registrada en el DRAE.

[152] 1.ª ed.: *Un instante llegó a creer...*

[153] Febril.

Después, en la penumbra, miró a Donata. Las sábanas colgaban de la cama. Estaba desnuda toda; dormía profundamente, como un tronco.

¡Uff! —hizo Andrés, y agarrando en montón el bulto de su ropa, huyó de allí, salió a vestirse fuera.

XI

Era de noche aún.

Una de esas noches de abril diáfanas y serenas, en que el cielo alumbra acribillado de estrellas como si el globo de la luna, hecho pedazos, se hubiese desparramado por las tinieblas.

De vez en cuando, se oía el ruido de las tropillas, el cencerro de las yeguas maneadas junto al corral.

Atados al palenque, los caballos ensillados relinchaban.

Los peones, en la cocina, alrededor del fogón[154], tomaban mate[155], en cuclillas unos, otros cruzados de piernas, los demás sentados sobre un tronco de sauce, sobre una cabeza de vaca.

Hablaban de sus cosas, de sus prendas, de sus caballos perdidos cuyas marcas pintaban en el suelo con la punta del cuchillo[156], de alguien que andaba a monte «juyendo»[157] de la justicia por haberse desgraciado[158], bastante bebido el pobre, matando a otro en una jugada grande.

---

[154] En el campo: fogata, fuego hecho en el suelo.

[155] Típica bebida rioplatense: infusión de hierba (o yerba) mate; designa igualmente la calabaza usada para servirla.

[156] «El paisano conoce todas las marcas de los caballos del pago, y su ojo avizor distingue a la distancia la respectiva pertenencia. Por eso suele ser su entretenimiento favorito dibujar en el suelo con el facón las figuras sencillas de las marcas.» (Tiscornia.)

[157] La gente de campo suele aspirar la *h* inicial, transformándola en *j*.

[158] O sea, por haber cometido un homicidio, lo cual obligaba al homicida a internarse en el monte para escapar de la justicia. Ejemplo literario paradigmático del caso es el *Martín Fierro* (1872-1878) de José Hernández.

No faltaba alguno entre ellos, medio morado[159] para el rumbo en una noche oscura o muy enteramente hacienda[160] para un pial de volcado[161] o para abrir las piernas[162] en toda la furia, que costeara la risa y la diversión de los otros.

Ya iba siendo hora; se alcanzaba a ver el lucero.

Y la conversación recayó sobre los trabajos de ese día: la capa, la yerra[163].

A las mentas[164], algunos forasteros habían caído:

—Y usted, D.[165] Contreras, ¿no es que andaba medio mal con el patrón?

—Qué le hemos de hacer al dolor, amigo, los hombres pobres necesitamos de los ricos.

Era el chino de la esquila; se había presentado a Andrés en la tarde del día anterior.

—Sé que está con miras de herrar, patrón, y vengo a que me dé trabajo.

—No has de andar con buenos intenciones tú —se dijo aquél fijándolo[166] con desconfianza; luego:

Tengo completo el personal —secamente le contestó.

—El mayordomo[167] —insistió el otro— me había informado de que faltaba un peón de a caballo...

—Bueno, amigo, vaya y desensille; mañana trabajará —repuso Andrés, cambiando repentinamente de resolución, sólo a la idea de que el chino pudiera llegar a figurarse que él le había tenido miedo.

---

[159] Cobarde, flojo, timorato. Su sentido alude a la carne de paloma [palomino o paloma brava] que es de color morado. (Santillán.)

[160] Totalmente bestia, o sea, bruto, torpe, incapaz.

[161] *Pial:* Tipo de lazo que se ejecuta comúnmente a pie y se arroja a las manos del animal en movimiento para voltearlo en plena carrera. *Pial de volcao:* el que se efectúa arrojando la armada [del lazo] en plano inclinado. (Santillán.)

[162] Mantenerse firme frente al animal furioso cuando éste embiste.

[163] Hierra. Acción de marcar el ganado con un hierro candente.

[164] 1.ª ed.: *A los díceres:* El sentido no difiere: «según se decía», «según los rumores».

[165] El uso del *don* está muy difundido en Argentina, llegando a aplicarse a todos los individuos —cualesquiera que sean sus títulos académicos o su categoría social—, incluso ante el patronímico, como en el caso presente.

[166] Mirándolo fijamente, con detenimiento.

[167] Administrador de una estancia importante, del que dependen directamente los capataces, puesteros y peones.

Por una de las ventanas de la capilla, como, entre ellas, llamaban los peones de la estancia al pabellón de Andrés, acababa de verse luz.

Villalba, el mayordomo, llegó a la puerta de la cocina:

—Vaya, pues; ya está despierto el patrón, ¡a ver si suben a caballo y salen de una vez! —dijo dirigiéndose a los peones, los que pocos minutos después se perdían en rumbos diferentes.

A medida que iba amaneciendo, se oía a la distancia los alaridos de la gente.

La hacienda, hilada[168], disparaba, semejante entre las sombras mal disipadas aún, a una bandada de enormes cuervos volando a ras del suelo.

El campo estremecido temblaba sordamente, como tronando lejos.

A eso de las seis, los animales paraban en el rodeo. Algunos caminaban, iban y venían; las madres mugían en busca de sus hijos; los extraviados de las mismas puntas se juntaban; los más pesados se habían echado.

Sobre la extensa faja multicolor que dibujaban, solía alzarse la maciza corpulencia de algún toro trabajando, mientras de trecho en trecho, los peones escalonados, inmóviles, parecían como los postes de un corral.

El señuelo[169], cincuenta colorados con un madrino negro de cencerro, pastaba a pocas cuadras.

—Puede ir principiando, Villalba —ordenó[170] Andrés que en ese momento llegaba de galope.

El mayordomo a su voz, haciendo cordón seguido de la peonada, atropelló, bruscamente, cortó una punta del rodeo y con la ayuda del señuelo, entre todos la arrearon al corral.

Cuatro hombres entraron a caballo y ocho a pie, cerrando estos la tranquera[171] junto a la que varias marcas se enrojecían al calor de una enorme fogata de osamentas.

---

[168] Las reses alineadas, en fila india.

[169] Conjunto de 25 o 50 novillos mansos y debidamente acostumbrados a seguir al *madrino* [buey manso] o la madrina, éstos de pelo diferente y llevando cencerro, que sirve para traer de los apartes hacienda o animales ariscos a fin de encerrarlos en corrales. (Saubidet.)

[170] 1.ª ed.: *mandó*.

[171] En el campo, puerta amplia de madera y alambre.

Pronto todo ya, se dio comienzo al trabajo.

Los cuatro de a caballo sacaban de entre la hacienda, agolpada contra los postes del corral[172], otros tantos terneros enlazados.

Los de a pie, echando verija[173], los pialaban[174] o prendidos de la cola los volteaban a tirones.

Una vez caídos y maneados, el mayordomo marcaba.

Al asentar el fierro, un humo negro y denso se desprendía, el cuero chirriaba, el animal bramaba de dolor.

A los más grandes un viejo los castraba; y había de ser viejo, sus años lo abonaban[175].

El calor, el encierro, los golpes que llevaban, la vecindad de los hombres, el tumulto, provocaban el enojo de algún toro o de alguna vaca vieja que, solos, se cortaban del montón, agachaban la cabeza, olfateaban la tierra, la escarbaban, sacudían las astas y atropellaban bufando.

El corral se transformaba entonces en una plaza; el trabajo se convertía en una lidia.

Al grito de «¡guarda!» los peones azorados daban vuelta, cuerpeaban[176] al animal, corrían, gambeteaban[177]. Muy apurados, ganaban los postes o se echaban de barriga, chuleándolo por fin en medio de una algazara salvaje, infernal, así que lograban salvar el bulto.

Un toro hosco, morrudo[178] y bien armado, se mostraba, sobre todos, emperrado, recalcitrante.

---

[172] 1.ª ed.: *recostada contra la palizada del corral.*

[173] «Este movimiento consiste en una flexión de las piernas, la izquierda hacia atrás y la derecha adelante en la misma dirección del lazo, el tronco inclinado hacia atrás, la mano izquierda sobre la cadera del mismo lado, la derecha libre, adelante, sujetando con vigorosa presión digital el lazo a fin de aguantar el tirón sin que aquel se corra entre las manos...» (Saubidet.) Verija es sinónimo de ijar.

[174] Los enlazaban por las patas. En la 1.ª ed., además, venía insertado el pasaje: *cuando del cimbronazo* [tirón recio, tracción violenta] *no alcanzaban a darlos contra el suelo...*

[175] 1.ª ed.: *sus años garantían la operación.*

[176] Esquivaban, sorteaban.

[177] Escapaban del animal, lo eludían moviendo con rapidez y agilidad el cuerpo.

[178] Grueso, fornido.

Varias veces había hecho zafarrancho entre la gente:

—Pónganle el lazo a ese y métanle cuchillo en la verija a ver si se le quitan las cosquillas —dijo[179] Andrés, caliente[180] ya con el animal.

Para mejor —agregó dejándose caer al corral— ¡es más criollo que un zapallo[181] y más feo que un viento de cara!

No bien oyó la orden de Andrés, sin hacérselo decir dos veces, Contreras castigó, cerró las piernas, revoleó y enlazó al toro de las astas.

Este, furioso, se le fue encima, llegando a peinar de un bote la cola del caballo.

Luego, de revuelo, enderezó al grupo donde se encontraba Andrés, en ese instante de espaldas, hablando con Villalba.

Con toda intención el chino hizo pie echado sobre el pescuezo de su montura. El lazo, roto en el tirón, azotó el aire, pasó silbando como una bala:

—¡Guarda, patrón! —se apresuraron[182] todos a gritar cuando el toro, sobre Andrés, humillaba ya para envasarlo[183], pudiendo apenas éste trepar a los palos del corral, no sin antes tener partido el pantalón de una cornada:

—¿Por qué no le has dado lazo?

Es esta la segunda vez que tratas de madrugarme[184], canalla... ¡no te mato de asco!... —exclamó Andrés trémulo de rabia.

Nada contestó el gaucho. Se le vieron sólo blanquear los ojos en una mirada de soslayo, traidora y falsa como un puñal.

---

[179] 1.ª ed.: *ordenó.*
[180] Enojado, resentido. La 1.ª ed. no trae el *ya.*
[181] Calabaza o calabacín.
[182] 1.ª ed.: *se apuraron.*
[183] Agachaba la cabeza para embestirlo.
[184] En riña o pelea, madrugar es aventajar a un adversario dándole el primer golpe o cuchillada.

XII

El frío picaba ya; los días se acortaban.

Parecía ser hora de sol alto, cuando de pronto[185] oscurecía y la noche llegaba sola, triste, negra, eterna hasta la mañana siguiente.

En un último esfuerzo del calor, el pasto, regado por los aguaceros de otoño, empezaba a querer brotar. En vano; las primeras heladas lo mataban chiquito; el campo, cubierto por el manto de vidrio de la escarcha, como envuelto en un sudario amanecía blanqueando, mientras los árboles[186] perdían sus hojas una a una y mostraban el enredado laberinto de sus gajos secos, sobre el que las altas siluetas de los álamos se destacaban como esqueletos de gigantes.

Era a principios de mayo.

Andrés había dispuesto[187] que le alistaran su carruaje para la mañana siguiente.

Se volvía.

Donata, a caballo, seguida de Gaucho había llegado a la estancia.

Con pretexto de entregar la ropa de Andrés, que ella lavaba, subió al piso superior donde se encontraba aquel preparando su valija:

—¿Es cierto lo que me ha dicho Tata, D. Andrés? —preguntó desde el umbral, tímidamente, bajando la vista, mien-

---

185 1.ª ed.: *rápidamente*.
186 1.ª ed.: *los árboles en la quinta*.
187 1.ª ed.: *ordenado*.

tras en un movimiento nervioso y maquinal, retorcía el pañuelo entre sus manos, un pañuelo blanco de algodón.

—¿Qué te ha dicho?

—Que usted se va mañana.

—Es cierto.

—¿A la ciudad? —siguió[188] ansiosa.

—Sí, a la ciudad, ¿y de ahí?

No obstante todo su empeño por disimular la pena que la embargaba, un estremecimiento agitaba sus labios, poco a poco los ojos se le preñaban de lágrimas.

Al fin, siéndole imposible dominarse silenciosamente se llevó el pañuelo a la cara.

Un gesto de contrariedad y de impaciencia asomó al rostro de Andrés:

—¿Esas tenemos?

—Mira, mi hijita, déjate de venir a fastidiarme, a mí no me gustan las mujeres lloronas —dijo duramente.

¿Qué, te sorprende que me vaya, ignoras que paso los inviernos[189] en Buenos Aires, a qué vienen esos llantos, entonces? Sobre todo, si me voy, no es para no volver...

¡Sabe que le había dado fuerte a usted, mocita!... —siguió con gesto menos seco y como movido a lástima al contemplarla.

¡Por qué no dice que quiere que me la lleve a usted también!...

Es lo único que le faltaba...

Y dirigiéndose a la mesa de luz a encender un cigarrillo:

—Vaya, amiga —agregó en tono alegre y juguetón—, nada de zonceras ni de historias, sea discreta y ayúdeme... a ver, ponga ahí encima esas camisas.

—¡Qué va a ser de mí, Virgen Santa! —murmuró Donata entre sollozos.

—¿Qué va a ser de ti? Nada, pues, hija; vas a quedarte aquí tranquilamente con tu padre, hasta que vuelva yo.

—¡Ah! D. Andrés, pobre de mí, usted me ha hecho desgraciada, ¡qué va a decir tatita!...

---

[188] 1.ª ed.: *repuso*.

[189] 1.ª ed.: *los inviernos los paso*.

—Que yo te he hecho desgraciada, que qué va a decir tu padre... Francamente, no te comprendo, Donata, veamos, explícate, ¿qué es lo que te pasa?

—¡Qué me ha de pasar, que estoy embarazada!...

—¡Zas! —soltó Andrés, medio queriendo inmutarse.

¡Sería la primera vez! —agregó como hablando solo, mientras una ligera alteración en el eco de su voz parecía acusar la impresión extraña y nueva que le habían producido las palabras de Donata.

—Mi hijita, te equivocas... no puede ser... o por lo menos, es muy difícil —siguió visiblemente preocupado, a pesar de la tranquila seguridad que afectaba.

De todos modos —acabó por exclamar resueltamente, después de un momento de silencio— lo que sea será... ¡no te aflijas, aquí estoy yo!...

Y en un espontáneo y generoso arranque, acercándose a su querida, la atrajo y le dio un beso.

Ella, entonces, más conforme:

—¿Y cuándo piensa volver? —se aventuró a preguntar.

—Pronto, dentro de un mes, antes acaso. Entretanto, te lo repito, puedes estar tranquila, que yo no te he de dejar desamparada.

Ahora, vete, retírate, no ha de faltar quien ande hablando, si ven que te quedas mucho tiempo aquí conmigo, pretextó, y, experimentando la necesidad[190] de quedarse solo, la despidió con dulzura acompañándola hasta la puerta.

—¡Bien podría el diablo haber metido la mano!... Pero... ¿y las otras, entonces, las mil otras?... ¡Bah!... otra cosa es con guitarra[191]... —pensó—, ¡muy baqueteadas[192], las otras!...

[190] 1.ª ed.: *protestó, y, sintiendo la necesidad...*

[191] *Otra cosa es con guitarra.* Coloquialismo. Se usa para burlarse de alguien que tiene dificultades para hacer algo que el mismo consideraba o había calificado como muy fácil. (Chuchuy.)

[192] Avezadas, experimentadas.

XIII

Reñido a muerte con la sociedad cuyas puertas él mismo se había cerrado, con la sociedad de las mujeres llamadas decentes, decía, por rutina o porque sí, con una fe más que dudosa en la virtud, negando la posibilidad de la dicha en el hogar y mirando el matrimonio con horror, buscaba un refugio, un lleno al vacío de su amarga misantropía, en los halagos de la vida ligera del soltero, en los clubes, en el juego, en los teatros, en los amores fáciles de entretelones, en el comercio de ese mundo aparte, heteróclito, mezcla de escorias humanas, donde el oficio se incrusta en la costumbre y donde la farsa vivida no es otra cosa que una repetición grosera de la farsa representada.

XIV

Pocos días después de su llegada a Buenos Aires, se hacía en Colón un ensayo general de *Aida*[193], ópera de estreno de la gran compañía lírica italiana contratada por el maestro Solari.

Andrés, a título de viejo camarada del empresario, tenía acceso libre, vara alta en el teatro. Ocupaba cada año uno de los palcos de la escena.

A lo ancho del lóbrego[194] pasadizo que del vestíbulo llevaba a bastidores, un tabique portátil de madera había sido atravesado.

Los profanos, apeñuscados[195], porfiaban por entrar, apuraban el recurso de sus cábulas:

—¿Qué, ya no me conoce usted a mí?

—¡No embrome[196], compañero, que le cuesta!...

—Este viene conmigo, che, déjelo pasar...

—¿Está Solari adentro? Yo soy su amigo, hágalo llamar, dígale que fulano lo busca...

Tiempo perdido.

---

[193] Célebre ópera del compositor italiano Giuseppe Verdi (1813-1801), según libreto de A. Ghislanzoni basado en una idea del egiptólogo Mariette. Compuesta por encargo del jedive de Egipto en ocasión de la apertura del canal de Suez, fue estrenada en 1871. El argumento es el siguiente. Amneris, hija del faraón, quiere al joven general Radamés; pero éste se halla enamorado de Aida, esclava de Amneris y a la vez hija del rey de Etiopía Amonasro que invadió Egipto. Acusado de traición, Radamés es sepultado vivo con Aida.

[194] 1.ª ed.: *negro*.

[195] Apiñados, amontonados.

[196] No fastidie.

El portero, sordo, inexorable, con cara de rabia obstinadamente les cerraba el paso:

—Tengo órdine del siñor impresario para non decar entrar a naidie[197].

En esas, atinó a llegar Andrés.

No sin trabajo había logrado abrirse camino hasta allí.

El italiano se hizo a un lado al verlo, se sacó el sombrero y solícito, obsequioso, con gesto zalamero y mirada derretida:

—Pase, Sr. D. Andrés —dijo.

Un coro de destempladas protestas y de insultos acogió la odiosa excepción del empleado, mientras por entre una doble hilera de músicos y de coristas, y una nube espesa de humo hediondo a tabaco italiano y a letrina, Andrés llegaba al fondo del zaguán, doblaba a la derecha y se metía en su palco.

Todo en la escena estaba dispuesto.

Un telón viejo había sido corrido ocultando el paredón del fondo.

A uno y a otro lado, hacia la sala, varias sillas se veían reservadas a las primeras partes.

La luz de tres brazos dobles de gas encendidos sobre la orquesta, al flotar indecisa por las tinieblas desiertas del edificio, imprimía a éste un sello extraño, fantástico, imponente.

Vagamente, en la penumbra, el angosto y profundo coliseo despertaba la idea de una boca de monstruo, abierta, enorme.

Por entre los últimos lienzos empezaban a asomar las cabezas mugrientas de los comparsas.

Un hombre, el avisador, distribuía los cuadernos en los atriles de la orquesta mientras largo a largo por el tablado, preocupado y solo, el empresario esperando la hora se paseaba:

¿Cómo está, mi querido maestro? —preguntóle Andrés con acento cariñoso abriendo la rejilla de su palco.

—¡Oh! D. Andrés, tanto gusto de verlo... —exclamó Solari y se acercó.

Luego, sacudiendo la mano de su interlocutor:

---

[197] El español chapurreado por italianos (el «cocoliche») o inmigrantes gallegos es uno de los componentes del realismo satírico de Cambaceres.

—¿Qué tal, cómo va?

Y sin esperar —bien ¿y usted?

—¿Qué dice ese bravo elenco?

—Es de *cartello*[198], sabe... yo le garanto[199]... los primeros artistas, el cuarteto de la Scala[200], no hay que decir...

—Sí, pero no veo figurar en él, ni a Gayarre[201], ni a Massini[202], de quien usted nos hablaba, ¿creo?

—Y qué valen, ni Massini, ni Gayarre confronto de[203] Guadagno... ésta es la cosa... dos enanos y un coloso.

—Qué diablo de maestro éste... —murmuró Andrés y se sonrió.

—Pero... y la Patti[204] —agregó—, o en su defecto, la Albani[205] o la Van Zandt[206], ¿no era que alguna de las tres iba a venir?

—La Patti, la Patti... pide cincuenta mil francos por noche, la Patti... ¡ésta es la cosa!

—¿Y la Albani?

—*Andata!*[207].

—¿Y la Van Zandt?

—¡Un mosquito!...

---

[198] Ital.: de cartel, o sea, de renombre, consagrado.

[199] «Este verbo es defectivo y lo es precisamente en aquellas personas en que después de las letras radicales del infinitivo no sigue una *i*. Para suplir las formas que faltan, tenemos el verbo *garantizar,* que significa exactamente lo mismo.» (Monner Sans.) Constan, sin embargo, en el español rioplatense formas en que al radical *garant* no sigue la *i*, como *garanto, garantes,* etcétera.

[200] Teatro lírico de Milán, probablemente el más importante del mundo, fundado en 1778.

[201] Sebastián Julián Gayarre, tenor español (1844-1890), actuó en el teatro Colón en 1876.

[202] Angelo Massini, tenor italiano (1844-1926). Hizo de Radamés cuando Verdi dirigió *Aida* en la Ópera de París. Cantó en el Colón en 1887.

[203] Ital.: frente a, en comparación de.

[204] Adelina Patti, soprano italo-española (1843-1919), la mejor pagada de su época. Fue la primera intérprete (en 1876, en Londres) del papel de Aida.

[205] Emma Albani, soprano canadiense (1847-1930). En 1878 se casó con Ernest Gye, hijo del director —y futuro director él mismo— del Covent Garden.

[206] Marie van Zandt, soprano norteamericana (1861-1919). Cantó en la Ópera Cómica de París desde 1880 hasta 1885.

[207] Ital.: ¡Se fue!

—¿No nos la trae, entonces?

—No, pero les traigo a una Amorini[208], ésta es la cosa.

—¿Amorini dice? No sé quién es.

—Artista joven, *magari*[209], pero una celebridad, órgano estupendo, talento inmenso.

Acaba de hacer un fanatismo, pero, un fanatismo loco en la Scala... ésta es la cosa.

—Déjese de fanatismos y vamos[210] al grano: ¿es bonita?

—*Roba fina*[211], ¡un bombón!...

¡Pero, honesta, sabe!... ¡Oh!, por esto, yo le garanto, una señora...

Viene con el marido, el conde Gorrini, de Florencia.

—¡Ah!, ¡ah!...

¿Y la contralto?

—¿La Machi?

¡Espléndida, un vozón!

—¿Y?...[212].

—No hay tampoco que pensar. Es hija de familia ella, la mamá la acompaña.

—Bueno, bueno, bueno... ¿como quien dice un par de bravas[213] Lucrecias[214]?

Pero... ¿me presentará, supongo?

—¡Ah!, ¡cómo no!

Yo siempre soy gentil con mis amigos...

—¡Buen pícaro es usted!

---

[208] A diferencia de los cantantes citados antes, este personaje (como también Guadagno o la Machi) es una creación del novelista. Sabemos sin embargo (cfr. punto 5.3 de la Introducción) que ha sido inspirado por la figura de Emma Wizjiak, una cantante con quien Cambaceres tuvo una aventura amorosa que provocó un escándalo de proporciones en el Buenos Aires pacato de 1876.

[209] Ital.: tal vez, quizás.

[210] 1.ª ed.: *vámonos*.

[211] Ital.: cosa fina, delicada.

[212] Locución elíptica, típicamente argentina. Tiene, según el caso, el sentido aproximado de ¿Y entonces? ¿Y qué más? o ¿Qué me dice usted? ¿Qué me cuenta?

[213] 1.ª ed.: *dos Lucrecias*.

[214] Mujer romana que se suicidó en el 509 a.C. después de haber sido violada por un hijo de Tarquino el Soberbio.

Entretanto, al ruido de una campana que el *buttafuori*[215] acababa de hacer oír entre telones, los músicos iban ocupando sus puestos[216], sacaban sus instrumentos, los afinaban en un desconcierto agrio, irritante.

Las masas, coristas y comparsas, relegadas al fondo del escenario, hablaban bajo.

Los artistas de sombrero a un lado y bastón de puño de marfil, se ensayaban a media voz, examinaban el teatro como por encima del hombro, iban y venían afectando darse un aire de importancia

De pronto, se oyó un susurro[217], un cuchicheo; los grupos se abrieron con curiosidad y con respeto, la atención general quedó un momento en suspenso.

Era la prima donna, la célebre Amorini que triunfalmente hacía su entrada envuelta en pieles y terciopelo.

Solari al verla, anticipándose, le ofreció galantemente el brazo, la trajo y la sentó en la primera silla de la derecha junto al palco donde se hallaba Andrés.

Ella, sonriente y majestuosa, con esa majestad postiza de las reinas de teatro, en la que asoma siempre una punta de oropel, distribuía graciosos saludos de mano y de cabeza a sus compañeros de arte[218], entre los que descollaba la gigantesca corpulencia de Guadagno.

Alta, morena, esbelta, linda, sus ojos hoscos y como engarzados en el fondo de las órbitas, despedían un brillo intenso y sombrío; el surco de dos ojeras profundas los bordeaba revelando todo el fuego de su sangre de romana

Desnuda, se adivinaba en ella la garra de una leona y el cuerpo de una culebra.

Andrés, mientras los otros se acercaban a saludarla, la envolvió en una larga mirada escudriñadora y codiciosa.

Luego, en una seña, solicitando de Solari el cumplimiento de su promesa, instintivamente inclinó el cuerpo hacia afuera sobre el antepecho del palco:

---

[215] Del italiano *buttafuori* (literalmente: el que echa fuera). Traspunte, el que avisa a los actores cuando tienen que salir a escena.

[216] 1.ª ed.: *sus lugares*.

[217] 1.ª ed.: *un murmullo*.

[218] 1.ª ed.: *a sus compañeros*.

—Señora Amorini —dijo el empresario—, me va a permitir...[219] este caballero desea hacer la relación de usted.

Y después de presentarlo:

—Uno de mis amigos más queridos del Río de la Plata.

Cambiadas algunas frases banales:

—No era usted señora, una extraña para mí —empezó Andrés.

He tenido antes ocasión de admirar todo su hermoso talento.

—¡Ah! Sí, ¿dónde? —preguntó la artista con interés[220], volviendo a medias la silla.

—Dónde se hizo usted oír antes de cantar en la Scala.

—¿En Cremona[221], hace dos años?

—Justamente, hace dos años, en Cremona.

—*Caro quel Cremona!...* Fue un continuo triunfo para mí. El público me adoraba... Pero entonces, señor —prosiguió— ¿somos dos viejos conocidos nosotros?... ¿Podría atreverme a esperar que, de hoy en más, quiera usted ser un amigo para mí?

—Señora...

—Vivo en el Hotel de la Paz. Mi marido y yo tendremos muchísimo placer en que usted se digne honrarnos con sus visitas —agregó designando a un hombre que en ese momento se acercaba.

Era joven, blanco, fresco, bonito, de bigotito negro retorcido; fumaba *cavours*[222], usaba cuellos escotados y cuernos de coral[223] en la cadena.

---

[219] 1.ª ed.: *Vd. me va a permitir...*

[220] 1.ª ed.: *preguntó con interés.*

[221] Ciudad italiana cercana al Po. Fue cuna de famosos fabricantes de violines e instrumentos de cuerdas. *Caro quel Cremona:* «aquella querida ciudad de Cremona».

[222] Cigarros de hoja de moda en tiempos de Camillo Benso, conde de Cavour, estadista piamontés inspirador de la unidad italiana (1810-1861).

[223] Esta mención parece implicar una alusión irónica y despectiva a las supersticiones italianas, especialmente a la llamada *yetatura*. Ésta, llamada comúnmente «mal de ojo», es, nos dice Segovia, «Condición natural fatídica atribuida a ciertos hombres, por manera que quien los mira u oye, queda abocado a una desgracia. Se les reconoce por la forma de la nariz y expresión de los

—¡Maestro, maestro! —llegó gritando azorado el *butta-fuori*—, es imposible contener a la gente, quieren por fuerza entrar.

—He dicho que no quiero yo que nadie me pise el teatro durante los ensayos.

—Sí, pero es que van a echar la puerta abajo: son más de doscientos...

—Echarme la puerta abajo, a mí... *Sangue della Madonna!*[224] —rugió Solari y, furioso, corrió hacia afuera.

Pero, ahí no más, se detuvo, pareció reflexionar y un momento después, girando tranquilamente sobre sus talones:

—¡Eh!... déjelos, hombre —exclamó con aspecto[225] resignado y manso—.

¡Qué le vamos a hacer!... no los puedo echar, ésta es la cosa... han de ser amigos... precisa tener paciencia...

En un instante los de afuera, como muchachos que salen de clase, pataleando, invadieron los palcos y la platea.

El ensayo entretanto había empezado.

El maestro Director caballero Grassi, como rodando por entre los atriles, no sin esfuerzo había conseguido izarse hasta su asiento.

Con la delicadeza con que un pintor de miniaturas maneja su pincel, empuñaba la batuta, dibujaba los últimos compases de la romanza: *Celeste Aida,* mientras la Amorini abandonaba su silla y Andrés, en *tête-à-tête*[226], quedaba conversando con el marido:

—Hermosa ciudad Buenos Aires, señor, me ha dejado sorprendido. Nunca me figuré que en América hubiera nada igual.

—¿Usted cree?

---

ojos. Los cuernos, naturales o imitados, un movimiento repetido de la mano cerrada con los dedos pulgar o meñique extendidos, el tocar un objeto de fierro y hasta el silbar, son los preservativos más eficaces contra la yetatura. Esta creencia absurda existe principalmente en el sur de Italia.» Huelga añadir que los *cuernos* no dejan de sugerir o de hacer presentir la condición de futuro *cornudo* del marido de la cantante...

[224] Ital.: «¡Sangre de Nuestra Señora!»
[225] 1.ª ed.: *con aire.*
[226] Francés. Conversación a solas entre dos personas.

—La belleza de sus edificios, el ruido, el vaivén, el comercio que se observa en sus calles, esa multitud de tranvías cruzándose sin cesar al ruido de sus cornetines, producen en el extranjero una impresión extraña y curiosa, un efecto nuevo de que no tenemos idea en nuestras antiguas ciudades italianas.

Yo amo el movimiento, la locomoción, la vida activa, los viajes.

Por eso, con grave perjuicio de nuestros intereses, nos ve usted en América, habiendo rehusado del empresario Gie doscientos cincuenta mil francos por la escritura que nos ofrecía para la gran estación de Covent Garden[227].

Tengo un carácter muy jovial yo —prosiguió Gorrini sin detenerse—, lo contrario de mi señora. Ella jamás sale de casa, a no ser para ir al teatro... Me gusta la animación, el mundo, la sociedad. Aquí también, según me ha informado el amigo Solari, la gente es muy alegre, ¿tienen ustedes numerosos centros sociales?

—Si señor, es cierto, hay varios clubes.

—El del Progreso[228], creo, es el más aristocrático, ¿se dan en él bailes suntuosos?

—Es en el que dicen que hay más gente decente.

—¿Tendría usted algún inconveniente en presentarme como socio? —largó[229] el italiano, muy suelto de cuerpo, con la facilidad con que habría podido pedir a Andrés el fuego de su cigarro.

—¿Presentarlo? —dijo éste como no oyendo bien.

Y después de vacilar un segundo: —con muchísimo gusto, señor —exclamó resueltamente—, es lo más fácil.

—Otra de mis grandes pasiones ha sido siempre la caza. En el Cairo, donde mi señora y yo pasamos un año contratados,

---

[227] 1.ª ed.: *en Covent Garden*. Es éste un célebre teatro lírico londinense, fundado en 1732. Frederic Gye fue su director desde 1851 hasta 1879.

[228] «El Club del Progreso fue fundado el 1 de marzo de 1852; por muchísimos años congregó en su seno lo más distinguido de nuestra sociedad, y le cabe la honra de ser el primero creado por argentinos.» (Cánepa, *op. cit.*, pág. 479.) Eugenio Cambaceres llegó a ser Secretario del Club, desde el 7 de abril de 1870 hasta el 5 de julio de 1871, y Vicepresidente del mismo, desde el 14 de abril de 1873 hasta el 8 de abril de 1874.

[229] 1.ª ed.: *preguntó*.

organizábamos magníficas partidas entre amigos. Usted sabe que el *gibier*[230], patos, perdices, becasinas, abunda de una manera extraordinaria a orillas del Nilo.

—Pues lo que es aquí tampoco falta, podrá usted cazar hasta cansarse, dar pábulo a su pasión.

—¿De veras, dónde, lejos?

—No señor.

Y, desde luego, me permito poner a la disposición de usted una propiedad que poseo a pocas horas de Buenos Aires, donde esos bichos pululan por millares.

—¡Bravo, bravo! —exclamó Gorrini, apoderándose con entusiasmo de las manos de Andrés.

Y, efusivamente:

—Es usted una persona muy simpática: ¡El corazón me dice que vamos a ser los dos grandes y buenos amigos!...

«Yo te he de dar amigo, a ti y Club, y bailes y patos...» —murmuró Andrés entre dientes, levantándose a fumar un cigarro en el antepalco y a conversar con Solari que en ese momento acababa de golpear la puerta.

Pero la hora del *bacarrá*[231] se acercaba.

Fastidiado, harto de las repeticiones del ensayo y no obstante las elocuentes[232] miradas de la prima donna, la corriente de simpatía, la tácita inteligencia que parecía querer iniciarse entre los dos, Andrés, después de pasar una parte de su noche[233] en el teatro, tomó el sombrero y salió con intención de ir al Club.

Mientras, por el largo corredor[234] y lejos ya de la escena, se dirigía a la calle, entre una espantosa, atroz, infernal explosión de ruidos, confusamente alcanzó a distinguir la voz de Grassi que se desgañitaba gritando:

—*Questa non é una banda di musica... questa é una banda di assassini!...*[235].

---

[230] Francés: Caza, animales que se cazan.

[231] Francés *baccarat*. Juego de naipes que se juega con dos barajas francesas y en el que uno de los participantes actúa como banquero.

[232] 1.ª ed.: *expresivas*.

[233] En la 1.ª ed. se invierten artículo y adjetivo posesivo: *la noche [...] su sombrero*.

[234] 1.ª ed.: *zaguán*.

[235] Juego verbal sobre *banda*: «conjunto instrumental» y «asociación criminal».

XV

En el Club, los hombres serios, los pasivos, lectores de diarios de la tarde y jugadores de guerra[236] y de chaquete[237], poco a poco habían ido desapareciendo.

Sus mujeres y sus nanas[238] temprano los obligaban a ganar la cama.

Los muchachos, los nuevos, de vuelta de sus corridas, el ánimo ligero, el apetito aguzado, de a cuatro trepaban los escalones, iban a parar al comedor.

Acá y allá, por las salas de juego, la guardia vieja —media docena de recalcitrantes emperrados, de los del tiempo de la otra casa— entre bocanadas de humo y tragos de cerveza, mecánicamente echaban su sempiterna partida de *Chinois*[239], cantaban sus quinientas.

En un rincón, a media luz, una mesa redonda y una carpeta verde esperaban.

Eran las doce; una hora más, e «iba a armarse[240] la gorda».

Andrés, en vena esa noche, por excepción sólo llegó[241] a perder diez mil pesos.

---

[236] Cierto juego de billar en que el jugador trata de hacer billa sucia metiendo la bola contraria en la tronera y evitando la billa limpia, es decir, que sea su bola la que caiga en la tronera. (Abad.)

[237] Juego parecido al de damas, con tablero dividido en dos compartimientos, que se juega con treinta fichas y dos dados.

[238] Achaques o dolencias benignas.

[239] Voz francesa. Cierto juego de naipes. (Segovia.)

[240] 1.ª ed.: *y se iba a armar.*

[241] 1.ª ed.: *alcanzó.*

XVI

Dos días después tuvo lugar el debut[242].

El teatro lleno, bañado por la luz cruda del gas, sobre un empedrado de cabezas levantaba su triple fila de palcos, como fajas de guirnaldas superpuestas, donde el rosado mate de la carne se fundía desvanecido entre las tintas claras de los vestidos de baile.

Encima, la cazuela[243], inquieta, movediza, bullanguera, sugiriendo la idea de una gran jaula de urracas. Más arriba, la raya sucia del paraíso[244].

Tras del[245] telón, en la escena, los egipcios y los negros de Amonasro[246], confundidos, hablaban, se paseaban.

De pronto, sin reparo, eran llevados por delante; dos maquinistas cruzaban al trote con un trasto a cuestas, deshacían los grupos a empujones.

Al golpe de un martillazo se agregaba una blasfemia, el crujir de la madera alternaba con las risotadas y los gritos.

El director de escena trataba en vano de imponer silencio. El escenógrafo, parado bajo el arco de boca, observaba el efecto de un lienzo nuevo, combinaba la luz con el gasista.

Los amigos de la Empresa, entrometidos, estorbaban, se mezclaban al tumulto, de paso se les iba la mano con alguna bailarina, mientras en el confuso tropel de los últimos momentos, el to-

---

[242] Del francés *début:* estreno de la obra.
[243] Sitio del teatro al que sólo podían concurrir mujeres.
[244] Conjunto de asientos del piso más alto del teatro.
[245] 1.ª ed.: *Tras el.*
[246] Rey de Etiopía.

que de la campana, anunciando la hora, ahogaba el eco de la voz de los artistas que desde sus camarines se ensayaban:

—Vea, mire como tiemblo —dijo la Amorini a Andrés, sola con éste en su salita; y le alargó la mano, una mano cargada de sortijas, afilada, carnosa, blanda, suave.

Era cierto, le temblaba, estaba fría.

El, sin contestar, se la apretó con dulzura:

—¡Qué vergüenza, tener miedo, usted! —exclamó después[247] afectando burlarse de ella.

—¡Qué quiere... amor propio de artista!

Cuando se ha conquistado un nombre, se teme comprometerlo. Hoy, un debut me cuesta más que al principio de mi carrera.

Y, retirando con suavidad la mano que Andrés, lejos de soltar, mantenía oprimida entre las suyas, fue y se sentó enfrente, a pocos pasos.

Los ojos de aquel se detuvieron entonces en el pie de la prima donna, cuyos dedos se dibujaban calzados por los dedos de seda de la media, en la inflexión elegante de su pierna, a la vez esbelta y gruesa, que el recogido de su pollera de Aida descubría hasta más arriba de la rodilla.

Andrés la analizaba con el golpe de vista seguro y rápido de los maestros, curiosa y encendida la mirada, y el pie, y los dedos del pie sobre todo, así ceñidos, a pesar suyo lo atraían, secretamente provocaban su lascivia en un refinamiento de extravío sensual.

Pero ella:

—¿Qué mira? —dijo, encogiéndose de pronto y llevándose el vestido hacia adelante.

—Lo que el público entero va a mirar...

¿Por qué me quiere privar a mí de lo que concede a todos?

—¡Oh!, el público... el público no me importa... el público no es nadie por lo mismo que son todos.

Sola aquí con usted, es otra cosa... no puedo... me da vergüenza..., hizo la artista mimosamente, con una graciosa mueca de infantil coquetería.

---

[247] 1.ª ed.: *exclamó* (sin el *después*).

La puerta acababa de abrirse empujada con violencia.

—Marietta, Marietta mía —entró diciendo muy afligido Gorrini—, van a alzar el telón, ¿estás ya pronta?

—Sí, estoy pronta ya, di que pueden empezar, voy al instante, repuso aquélla despidiendo con un gesto al primo donno.

Luego, mientras delante del espejo, emocionada y nerviosa, daba el último toque a los detalles de su toilette:

—¿Va a su palco?

—¡Cómo no!

—Sí, sí, vaya, lo miraré, su presencia me dará valor.

Aunque, no —cambió después bruscamente—, quédese, voy a cantar muy mal, lo siento, no vaya, le suplico, si me silban no quiero que esté usted.

Y dando un hondo y afanoso[248] suspiro y apretándose el corazón como para que no se le saltara del pecho, salió envuelta en un amplio chal que la sirvienta al pasar le había echado sobre los hombros.

«¡Loca linda!...» —pensó Andrés viéndola alejarse.

«¡Bueno... que más... le haremos el gusto!... Me iré a coversar con Solari.»

En la seguridad de encontrar a éste, se dirigió a la sala de la empresa.

Era una pieza a la que el pasadizo de salida daba acceso y que había sido amueblada con trastos viejos del teatro.

Allí se refugiaba el empresario en las situaciones difíciles y allí estaba.

Sentado en un sillón monumental de yeso blanco con filetes amarillos, el tradicional sillón de los Alfonsos y de los Silva de antaño, encendía un cigarrillo negro, lo fumaba, lo mascaba, se le apagaba, lo volvía a encender, lo tiraba y sobre ése, empezaba otros.

Profundamente preocupado, ansioso, febriciente, esperaba el momento supremo de la prueba, el fallo inapelable del soberano.

La prima donna, entretanto, acababa de entrar en escena.

---

[248] 1.ª ed.: *afanoso y hondo.*

Los aplausos de unos pocos saludándola, habían sido sofocados por un «¡pst!...» imponente, universal que sonó en el ámbito de la sala como si abriéndose las puertas de pronto, la hubiese cruzado[249] una gran ráfaga de viento.

Tentado de mortificar al empresario, de divertirse un momento a costa de éste meciéndolo[250]:

—¡Hum! —empezó Andrés con un gesto de mal augurio—, parece, Dios me perdone[251], que el aumento de precios va haciendo su efecto...

—¿Quieren que me arruine, entonces, que yo no viva? ¡Quieren que les dé la crema de los artistas y no los quieren pagar!...

—También tiene razón usted en lo que dice... Pero vaya a hacerle entender razones al público... No le entran ni a garrote; lo sangran y se enoja.

—¡Que me subvencionen..., ésta es la cosa!...

—Claro.

—Natural...

—Ahí van a concluir... —siguió Andrés llamando la atención del empresario y aplicando el oído a los ecos perdidos de la escena— aguarde... a ver si aplauden.

Nada. Hubo un silencio helado, sepulcral.

—¡Francamente, yo soy furioso! —exclamó Solari clavando los ojos en el techo y tirando con rabia el pucho de su negro.

—Deje de estarse afligiendo antes de tiempo, hombre... mire que es maula[252] usted... Ahora viene la romanza, espérese, puede que estalle la bomba.

En efecto, al terminar Aida su frase: «*Numi pietá del mio martir!*»[253] el teatro entero, como sacudido por la descarga de una pila, rompió en aplausos estruendosos, prolongados, repetidos.

Varias veces la prima donna fue aclamada:

---

[249] 1.ª ed.: *la hubiese cruzado de pronto.*
[250] Tomándole el pelo.
[251] La 1.ª ed. no trae el *Dios me perdone.*
[252] Cobarde, pusilánime.
[253] ¡Dioses, apiádense de mi martirio!

—¡No le dije!, si el público suele ser como mancarrón bichoco[254]; lo que necesita es que se le calienten las macetas[255].

—Vamos a ver nosotros también; ¡che, yo me entusiasmo!, y relampagueándole los ojos, el empresario, loco de alegría[256], corrió a su palco.

Durante los pasajes de efecto, se mostraba muy ufano. Mientras se cantó el tercer acto, fue y ocupó la silla del medio.

Abierta y plácida la expresión de su semblante, cruzaba los brazos sobre el antepecho, inclinaba el cuerpo hacia adelante, enviaba a los artistas la caricia de sus miradas simpáticas y sonrientes, y volviendo la cara hacia la sala, orgulloso, como diciendo al público: «¡Qué tal!», él era el primero en batir palmas.

---

[254] Caballo inservible por viejo, enfermo o estropeado.

[255] Nudos [parte inferior de las patas del caballo] abultados, endurecidos generalmente a causa de la mucha edad o el excesivo trabajo. (Saubidet.)

[256] En la 1.ª ed., *loco de alegría* antecede a *relampagueándole...*

XVII

Hubo cena después de la función celebrando el triunfo.

En la sala de uno de los departamentos del primer piso, ocupado por la diva en el Hotel de la Paz, una mesa largamente servida había sido preparada.

La caoba de los muebles y la pana mordoré[257], las cortinas ajadas de un blanco sospechoso, las cenefas polvorientas, la luna turbia de los espejos, el reloj y los candelabros de cinc, los paños de crochet[258], la alfombra sucia y escupida, todo ese tren inconexo y charro[259] de ajuar de hotel, hasta el papel desteñido, desprendiéndose de las paredes por las esquinas, arriba, parecían afectar un aire alegre de fiesta en la profusa iluminación de la vasta pieza.

El lugar de honor había sido destinado[260] para Andrés.

A la izquierda de la Amorini se sentaba el empresario.

En frente, a uno y otro lado del marido, la soprano ligero y la Machi.

Venían después, *pêle-mêle*[261], Grassi, los demás artistas de la compañía y algunos italianos amigos de Solari.

El obsequio ofrecido por Andrés a la Amorini, expuesto en una de las cabeceras del salón, monopolizaba las miradas, fue, durante los primeros momentos, el tema obligado de la conversación.

---

[257] Francés. Doradillo, de un color melado o castaño brillante.
[258] Francés. Ganchillo; tejido hecho con ganchillo.
[259] Chillón, llamativo, de mal gusto.
[260] 1.ª ed.: *reservado*.
[261] Francés. Desordenadamente, sin orden ni concierto.

Sobre un simple pie de boj, una cinta volante de violetas. En medio, las iniciales de la artista. Las letras eran de camelias blancas; los puntos, dos enormes solitarios de brillantes.

Gorrini, placentero, explicaba, insistía en alta voz sobre los detalles, elogiaba el exquisito gusto de Andrés[262]; los hombres y las mujeres contemplaban atraídos.

La Machi sobre todo, seducida, subyugada, como si la fuerza de un misterioso imán irresistible determinara el movimiento de sus ojos, sólo los apartaba de las piedras para fijarlos sobre Andrés.

En la expresión absorta de su rostro, algo como un mal encubierto reflejo de celos y de envidia parecía asomar.

El fuego de su mirada negra se velaba por momentos, su boca, malamente contraída en una tiesura de los labios, en vano se esforzaba por mostrarse risueña y complacida.

Y las piedras brillaban como dos pedazos del sol entrando por el agujero de una llave...

Andrés, sin detenerse en aquella muda escena, sin que se le ocurriese sospechar siquiera las impresiones que agitaban a su *vis-à-vis*[263], tranquilamente había empezado a tomar unas cucharadas de caldo.

De pronto, sintió que un pie tocaba el suyo, como solicitando su atención. La Amorini, inclinada, murmuraba disimulando sus palabras:

—Observe a la Machi, sufre, la rabia la devora.

—¿Sufre?... ¿por qué? —preguntó Andrés[264], del todo ajeno a las pequeñas miserias de aquella guerra entre mujeres.

—¿Por qué?

Nada más que porque usted ha tenido la fineza de ser galante conmigo y ella, ¡la pobre! no ha recibido ni una flor. Porque es así no más, porque es mala y porque me odia.

—¿Sí? —repuso él maquinalmente, distraído por el expresivo avance de su vecina, mientras resuelto a no dejar pasar la ocasión que de suyo se le brindaba, adelantaba su pierna has-

---

[262] 1.ª ed.: *el exquisito gusto de la idea.*

[263] Voz francesa. Empleada como sustantivo, viene a significar la persona que se tiene enfrente o que está frente a uno.

[264] 1.ª ed.: *preguntó Andrés ingenuamente.*

ta rozar primero, hasta oprimir después la pierna de la prima donna, que ella no retiró.

Sin embargo, la conversación había empezado a animarse haciéndose general.

Se habló, naturalmente, de teatros y de artistas. Todos eran malos, detestables, infames, con excepción de los presentes.

Guadagno se proclamó sencillamente el primer tenor del siglo.

Solari, muy formal, aseguró que él había tenido el talento de reunir la flor y nata de los cantores.

La Scala y Colón eran hoy las dos primeras escenas líricas del orbe; Buenos Aires, el Petersburgo del arte musical.

Los elogios se prodigaban, los parabienes se cruzaban.

Se insistió acerca del éxito soberbio del estreno, bebiéndose a él muchas copas de Champagne.

La interpretación del papel de Aida fue objeto, por parte de los amigos italianos, de felicitaciones ardientes y entusiastas, que la Amorini, indolentemente apoyada al respaldar de su silla se dignaba acoger con una benévola sonrisa de satisfacción en los labios.

El intenso sacudimiento nervioso de una noche de debut, el natural sentimiento de orgullo por el triunfo alcanzado, acaso la presencia de un hombre como Andrés, despertando todos sus secretos instintos de mujer en esos momentos de dulce y profunda lasitud que siguen al lleno de las grandes aspiraciones, daban a su semblante, a su actitud, a los movimientos blandos de su cuerpo, a sus posturas pegajosas de gata morronga, un exquisito sabor sensual.

Su boca entreabierta, mostrando el esmalte blanco y húmedo de los dientes, era una irresistible tentación de besos, sus ojos cansados, ojerosos, un manantial de lujuria.

Algo como el acre y capitoso perfume de las flores manoseadas se desprendía de toda su persona.

Pero Andrés, para quien las palabras de la prima donna habían sido una especie de alerta, halagado en su amor propio, a la vez que estimulado por la belleza tosca y vulgar de la contralto, directamente había empezado a responder a las marcadas insinuaciones de que se veía objeto, diciéndose que no era en suma de despreciar aquel macizo pedazo de carne.

Sin amor, sin querer, sin poder tenerlo, apenas movido por un débil interés carnal, ésa y la otra y todas eran lo mismo.

Buscaba sólo en el favor de las mujeres, de cualquiera mujer, una mera distracción, una tregua, siquiera fuese pasajera, al negro cortejo de sus ideas, al tormento de su obsesión moral.

Avezado, por lo demás, hecho a ese género de empresas, iniciado en todos los secretos resortes del amor ligero, llevaba a tambor batiente su campaña.

Mientras, dueño del campo por un lado, enredaba entre las suyas las piernas de la soprano, arrojaba a la contralto el dardo agudo de sus miradas, derramaba sobre ella como un fluido misterioso, el irresistible hechizo de sus ojos, que en su elocuencia muda encerraban[265] un mundo de promesas.

Pero, de pronto, desprendiéndose de Andrés en un movimiento brusco:

«D'uno spergiuro non ti macchiar; prode t'amai; non t'amerei spergiuro!»[266], lanzó la primera de aquellas dos mujeres modulando rabiosamente la frase del maestro, haciendo vibrar en su voz todo el profundo acento de despecho de que en ese instante se sentía dominada:

«Brava, brava!» exclamaron los otros en coro, extraños a la causa de aquella insólita explosión, y creyendo en una reminiscencia de artista orgullosa de su triunfo —*magníficamente, prosiga usted señora Amorini.*

—¡Cómo es eso de prosiga usted!, intervino Solari con viveza, haciendo pesar sus derechos de empresario, *niente affatto!*[267], mañana hay función.

—Ya que el señor Solari se opone a que yo cante, toque usted señorita Machi, usted que es una completa profesora en *todo,* dijo entonces la prima donna apoyando con marcada intención sobre la última palabra.

Luego, mientras los invitados abandonaban[268] sus asientos y, en grupos, rodeaban el piano, donde la contralto correcta-

---

[265] 1.ª ed.: *cuya elocuencia muda encerraba...*
[266] «No te deshonres con un perjurio; te amé valiente; no te amaría perjuro.»
[267] De ninguna manera.
[268] 1.ª ed.: *dejaban.*

mente había empezado a preludiar, estrechando a Andrés bajo el arco de una ventana:

—No quiero —dijo la Amorini con voz precipitada y seca— que vuelva usted a mirar a la Machi como lo acaba de estar haciendo.

—¡Yo, señora!

—¡Oh!, es inútil que finja.

Los he estado observando y he visto todo.

—Y bien, suponiendo que así sea —repuso Andrés sin rodeos, decidido a tomar la plaza por asalto, a sacar partido del estado de nerviosa exaltación en que se hallaba la artista—, si accedo a lo que me pide, ¿qué me va a dar usted en cambio?

—Todo, con tal de que no vuelva a hacer el amor a esa mujer.

—¿De veras, todo?

—Todo —repitió ella con firmeza.

—Espéreme sola mañana aquí.

—¿Y mi marido?

—Despídalo con un pretexto cualquiera.

—¡Sola, aquí, en un hotel!... Nos pueden sorprender, es imposible.

—Salga, en tal caso.

—¿Adónde?

—Mire, tenga confianza en mí. Mañana, a la hora que usted me indique, un carruaje la va a aguardar allí, a la vuelta, frente a la pared del convento[269], dijo Andrés designando la calle de Reconquista.

—Mañana no; mañana canto.

—Pasado mañana, entonces, a las tres.

—Pasado mañana, sea —exclamó ella como resolviéndose de pronto, después de un momento de vacilación y de duda.

—¿Pero, me promete, no es verdad, me jura ser mío, exclusivamente mío? —insistió apretándole la mano con pasión.

—Se lo juro.

---

[269] Convento de la Merced, situado, como el hotel de la Paz (hoy desaparecido) en la encrucijada de las calles Reconquista y Cangallo (hoy Teniente general Perón). En la iglesia de la Merced, lindante con el convento, fue bautizado el 4 de setiembre de 1844 (un año y medio después de nacer) Eugenio Modesto de las Mercedes Cambaceres.

XVIII

En la calle de Caseros, frente al zanjeado de una quinta, había un casucho de tejas medio en ruinas[270].

Sobre la madera apolillada de sus ventanas toscas y chicas, se distinguían aun los restos solapados de la pintura colorada[271] del tiempo de Rosas.

Sin salida a la calle, un portón contiguo daba acceso al terreno cercado todo de pared y comunicando con el cual tenía la casa una puerta sola.

Por ella, se entraba a una de las dos únicas habitaciones del frente, cuyo interior hacía contraste con el aspecto miserable que de afuera el edificio presentaba.

Era una sala cuadrada grande, de un lujo fantástico, opulento, un lujo a la vez de mundano refinado y de artista caprichoso.

El pie se hundía en una espesa alfombra de Esmirna.

Alrededor, contra las paredes, cubiertas de arriba abajo por viejas tapicerías de seda de la China, varios divanes se veían de un antiguo tejido turco.

Hacia el medio de la pieza, en mármol de Carrara, un grupo de Júpiter y Leda[272] de tamaño natural.

Acá y allá, sobre pies de ónix, otros mármoles, reproducciones de bronces obscenos de Pompeya, almohadones orientales arrojados al azar, sin orden por el suelo, mientras en una alcoba contigua, bajo los pesados pliegues de un cortinado de

---

[270] 1.ª ed.: *en ruina.*

[271] El rojo, o colorado, o punzó, era el color emblemático del dictador Rosas y de sus «federales».

[272] Cuenta la mitología que Júpiter se metamorfoseó en cisne para poseer a Leda, esposa de Tíndaro, rey de Esparta.

lampás[273] *vieil or*[274], la cama se perdía, una cama colchada de raso negro, ancha, baja, blanda.

Al lado, el cuarto de baño al que una puerta secreta practicada junto a la alcoba conducía, era tapizado de negro todo, como para que resaltara más la blancura de la piel.

Sobre uno de los frentes, un gran tocador de ébano mostraba mil pequeños objetos de *toilette:* tijeras, pinzas, peines, frascos, filas de cepillos de marfil.

Allí recibía[275] Andrés a sus amigas; allí esperó a la Amorini.

Al subsiguiente día de la cena y poco después de la hora fijada, el portón, abierto de par en par, se cerraba sobre un carruaje de alquiler que acababa de entrar.

Andrés, saliendo[276] de la casa, corrió a abrir la portezuela.

Pero como la prima donna, que en aquél llegaba, recelosa ante el aspecto poco hospitalario del sitio[277], mirando con desconfianza titubeara:

—Venga..., no tema... —exclamó Andrés alargándole la mano para ayudarla a bajar.

Tuvo, al poner el pie en el umbral un gesto de sorpresa:

—¿Por qué tan lindo aquí y tan feo afuera?

—Porque es inútil que afuera sepan lo que hay adentro.

—¿Usted vive aquí?

—A ratos —dijo Andrés y se sonrió.

Algunos instantes transcurrieron en la inspección curiosa[278] del recinto; en el cuarto del toilette, en el examen curioso de las telas, de los bronces, de los mármoles, de las riquezas acumuladas por Andrés.

Por fin, después de haber entornado los postigos al pasar cerca de la ventana, delicadamente tomó aquel de la cintura a la Amorini y la sentó en un diván.

Le desató la cinta de la gorra, el tapado[279], empezó a sacarle los guantes.

---

[273] Francés. Tela de seda con adornos y motivos decorativos en relieve.

[274] Francés. Color oro viejo.

[275] 1.ª ed.: *recibiría.*

[276] 1.ª ed.: *Andrés, entonces, saliendo...*

[277] En la 1.ª ed. se invierten los determinantes: *que en él llegaba* [...] *aquel sitio.*

[278] 1.ª ed.: *minuciosa.* A continuación: *el cuarto de toilette.*

[279] Abrigo.

Entonces, con aire pesaroso, en un aparente tono de tristeza, como si arrepentida de lo que había hecho, un remordimiento la asaltara:

—¿Qué va a pensar usted de mí? —empezó ella desviándole la mano con dulzura—, ¿qué va a creer? Va a figurarse sin duda que yo soy como las otras, como una de tantas mujeres de teatro...

Un beso audaz, traidor, uno de esos besos que se entran hasta lo hondo, sacuden y desarman a las mujeres, cortó de pronto la palabra en los labios de la artista.

Estremecida, deliciosamente entrecerró los ojos.

Andrés continuó besándola. Le besaba la cara, las orejas, la nuca, le chupaba los labios con pasión, mientras poco a poco, sobreexcitándose él también, en el apuro de sus dedos torpes de hombre, groseramente le desprendía el vestido, hacía saltar los broches rotos del corsé.

Ella, caída de espaldas, encogida, murmuraba frases sueltas:

—¡No... déjeme... mi marido... me hace daño... no quiero!...

Débilmente entretanto se defendía, con la voluntad secreta de ceder, oponía apenas una sombra de resistencia.

Medio desnuda ya, Andrés la abrazó del talle y la alzó.

Sin violencia la prima donna se dejó arrastrar hasta la alcoba. Los dos rodaron sobre la cama.

Él seguía despojándola del estorbo de sus ropas. Ella ahora le ayudaba. Enardecida, inflamada, febriciente, arrojaba lejos al suelo la bata[280], la pollera, el corsé, se bajaba las enaguas.

Era un fuego.

Arqueada, tirante en la cama, encendido el rostro, los ojos enredados, afanoso y corto el resuello, abandonaba a las caricias locas de su amante su boca entreabierta y seca, la comba erizada de su pecho, su cuerpo todo entero.

—Más... —murmuraba agitada, palpitante, como palpitan las hojas sacudidas por el viento—, más... —repetía con voz trémula y ahogada—, te amo, te adoro... más... —ávida, sedienta, insaciable aun en los espasmos supremos del amor.

---

[280] La acepción argentina de la palabra es la de blusa o corpiño.

XIX

Locamente enamorada de su amante, presa de uno de esos sentimientos intensos repentinos, que tienen su explicación en la naturaleza misma de ciertos temperamentos de mujer, sin reservas la prima donna se había dado a su pasión, y las citas en la casa de la calle de Caseros se repetían con más frecuencia cada vez.

No era, como al principio, de tarde en tarde, si sus tareas del teatro llegaban a dejarla libre, en las noches en que no le tocaba cantar, cuando los ensayos no reclamaban su presencia.

Era todos los días, durante horas enteras, siempre, sin descanso, una fiebre, un arrebato, una delirante orgía, una eterna bacanal.

Andrés, sin embargo, harto de aquella vida, profundamente disgustado ya:

«¡Cuánto más fácil es hacerse de una mujer que deshacerse de ella!», pensaba un día, mientras, recostado sobre uno de sus codos, arrojando el humo de un cigarrillo, fríamente contemplaba a la Amorini en una de sus entrevistas con él.

La prima donna, después de haber pasado largas horas en brazos de su amante, se vestía.

¡Qué lejos estaba el momento en que el cuerpo de su querida, ese cuerpo que hoy miraba con glacial indiferencia, había tenido el lúbrico poder de despertar sus deseos adormecidos!

Y recordó la noche del debut, los detalles de la escena en el camarín de la cantora, las frases tiernas, las miradas, los apre-

143

tones de mano[281] cambiados en los silencios elocuentes del principio.

La veía sentada como ahora enfrente de él, envuelta entre los pliegues caprichosos de su fantástico traje, mostrando el mórbido y provocante contorno de su pierna, su pie pequeño y arqueado, cuyos dedos, como dedos desnudos de mulata, tan extrañamente habían llegado a conmoverlo.

Sentada como ahora...

Y, sin embargo, ¡qué diferencia enorme, cuánto cambio en quince días!

¿Por qué, qué causa había podido determinar en él tan rápida transición?

¿Era el suyo uno de tantos tristes desengaños, la realidad brutal, repugnante a veces, descorriendo el velo de la fantasía, disipando el misterioso encanto de lo desconocido?

No. Joven, linda, apasionada, ardiente, rodeada como de una aureola del prestigio de la escena, qué más podía pedir un hombre como él a su querida.

Y en presencia de aquel espléndido cuerpo de mujer revelando sus encantos, ostentando todo su inmenso poder de seducción, como haciendo alarde de sus galas infinitas, deslumbrado, humillado, vencido volvía contra él sus propias armas.

Si, él, él, no ella.

Nada en el mundo le halagaba ya, le sonreía, decididamente nada lo vinculaba a la tierra. Ni ambición, ni poder, ni gloria, ni hogar, ni amor, nada le importaba, nada quería, nada poseía, nada sentía.

En su ardor, en su loco afán por apurar los goces terrenales, todos los secretos resortes de su ser se habían gastado como se gasta una máquina que tiene de continuo sus fuegos encendidos.

Desalentado, rendido, postrado, andaba al azar, sin rumbo, en la noche negra y helada de su vida.

Pero, entonces, ¿por qué andar, por qué vivir?

Y la idea del suicidio, como una puerta que se abre de pronto entre tinieblas, atrayente, tentadora, por primera vez cruzó su mente enferma.

---

[281] 1.ª ed.: *los dulces y expresivos apretones de mano.*

Matarse...

Sí, era una solución, una salida, un medio seguro y fácil de acabar...

Pero la Amorini, vestida ya, había pasado al cuarto de toilette:

—Tengo un proyecto, Andrés mío, exclamó parada[282] delante del tocador.

La enorme masa de su cabellera desgreñada y suelta, había caído como una negra túnica de pieles en derredor de su busto[283], se peinaba.

—¿Proyecto, dices?[284] —hizo Andrés maquinalmente arrancado a sus tristes reflexiones por la voz de su querida.

—¡Ah! ¡pero un proyecto espléndido, magnífico!

Esa noche, 25 de mayo, había función[285]; por primera vez en el año se cantaba *Los Hugonotes*[286].

Ella iría al teatro temprano: él por su lado iría también, entraría y, antes de que encendieran las luces, se metería en su palco sin ser visto.

—¿Y?

—¿Y, no comprendes?

Es bien sencillo, sin embargo, correré a darte mil besos, tendré la inmensa dicha de ser tuya un instante más, en secreto, entre las sombras, como dos enamorados que se aman por primera vez.

¡Qué buena farsa para los otros!...

¡Lástima, de veras, que no esté el teatro lleno! —agregó soltando el alegre estallido de una carcajada.

¿No te parece original y tierno y poético a la vez?

—¡Uf!...—hizo él despacio.

Luego, en alta voz:

—Me parece simplemente un desatino.

—Un desatino... ¿y por qué? —se apresuró a protestar la artista volviendo de la pieza contigua y sentándose sobre el borde de la cama, junto a Andrés.

---

[282] De pie.

[283] 1.ª ed.: *su talle.*

[284] 1.ª ed.: *¿Qué proyecto?*

[285] 1.ª ed.: *Esa noche había función, era el 25 de Mayo y...*

[286] Opera de Giacomo Meyerbeer, compositor alemán (1791-1864), sobre un libreto de Scribe y Deschamps, estrenada en París en 1836.

—Porque pudiendo vernos aquí libre y tranquilamente, no sé porqué nos tomaríamos la molestia de ir a hacerlo en el teatro u otra parte.

—Sí, sí, te ruego, no seas malo, di que sí...

—Imposible.

Como hoy con amigos[287] en el café de París[288].

—Busca una excusa o ve a comer después.

Tus amigos te esperarán.

—No; es un capricho tonto el tuyo. No quiero.

—Y bien, suponiendo que así sea... ¿no puedo tener un capricho, por ventura, un antojo, y si quiero yo...?

¡Qué te cuesta complacerme, complacer a tu mujercita que tanto te ama!... —insistió con caricias en la voz, mimosamente, inclinada sobre Andrés, pasándole la mano por el pelo y envolviéndolo en el perfume tibio de su aliento[289].

—Pueden vernos, descubrirnos...

—¿Quién, si no hay nadie en el teatro a esa hora?

—Cualquiera, tu marido por ejemplo.

—¡Oh!, mi marido... no te preocupes por tan poco: no estorba, ése.

Tiene mucho que hacer a la hora a que voy al teatro yo[290]; come a las seis.

Pero, como asaltada de improviso por una idea:

—¿Qué, tendrías miedo, serías un cobarde tú...? —prosiguió mirando de cerca a su querido, fijamente, con la marcada intención de herirlo.

—¡Miedo yo, de tu marido!...

Y una sonrisa de soberano desprecio asomó a los labios de Andrés.

Luego, acentuando sus palabras con un gesto de resignación y de fastidio profundo:

—¡Bueno... iré!... —dijo accediendo por fin.

---

[287] 1.ª ed.: *con varios amigos.*

[288] Uno de los cafés más distinguidos de entonces. (Cfr. Luis Cánepa, *El Buenos Aires de entonces,* pág. 399).

[289] 1.ª ed.: *en su aliento tibio.*

[290] 1.ª ed.: *Está siempre muy ocupado cuando yo voy al teatro.*

XX

Hacía un tiempo seco y frío.

Después de haber llovido todo el día, una de esas lluvias sordas, en uno de esos días sucios de nordeste, el pampero[291], impetuosamente, como abre brecha una bala de cañón, había partido en mil pedazos la inmensa bóveda gris.

Las nubes, como echadas a empujones, corrían huyendo de su azote formidable, mientras bajo un cielo turquí[292], reanimada por el aliento virgen de la pampa, la ciudad al caer la noche, parecía envuelta en un alegre crepúsculo de aurora.

Agitada, bulliciosa, la población había invadido las calles.

En masa, como las aguas negras de un canal, iba a derramarse a la plaza de la Victoria[293], desfilaba a ver los fuegos.

Fiel a la tradición, el barrio del alto[294] invadía las galerías de Cabildo[295], la Recova[296], las veredas.

Los balcones, las azoteas, se coronaban a su vez.

---

[291] Viento fuerte, seco y frío que sopla en dirección SO-NE en la provincia de Buenos Aires.

[292] De color azul añil.

[293] La actual plaza de Mayo, denominada en 1807 «de la Victoria» para conmemorar el triunfo sobre los invasores ingleses en 1806.

[294] O «del alto de San Pedro», situado en la parte sur de Buenos Aires. Se llamó así por encontrarse en un altozano con respecto al «bajo», las riberas del Plata. Corresponde al actual barrio de San Telmo.

[295] Ayuntamiento de Buenos Aires. Este monumento, así como la Recova, la Catedral o la Pirámide, estaba situado en la plaza de la Victoria, hoy plaza de Mayo.

[296] La Recova Vieja, construida en 1803 y constituida por una serie de soportales ocupados por comercios, se demolió en 1884. Dividía en dos partes la plaza de la Victoria.

Abajo, entre el tumulto, los italianos de la Boca[297], encorbatados, arrastraban a sus mujeres, cargaban a sus hijos.

Dos bandas de música tocaban. La Catedral[298], la Pirámide[299], la plaza toda, resplandecía suntuosamente, en un deslumbramiento de gran café cantante, y mientras los cohetes voladores estallaban semejantes a las chispas de algún enorme brasero, los muchachos alborotados, en pandilla, disparaban a agarrar las cañas.

Insensible al encanto de las fiestas populares, antipático al vulgo por instinto, enemigo nato de las muchedumbres, Andrés penosamente iba cruzando por lo más espeso del montón.

Exasperado, maldecía, blasfemaba.

No obstante su descreimiento, su manera de encarar las cosas y la vida, se decía que algo más soñaron acaso merecerse los revolucionarios argentinos, que lo que, en la exacerbación violenta de su espíritu, calificaba de indecente mamarracho.

Por fin, codeado, estrujado, pisoteado, llegó al teatro.

Un grupo de coristas y comparsas estacionaba en la puerta.

De la boletería[300] salía un olor rancio a viandas.

Sin detenerse, siguió Andrés por el zaguán, desierto en aquel instante y negro como una cueva.

Allá, solamente, en el fondo, a media luz, un pico de gas pestañeaba en la corriente de aire.

Mientras iba avanzando y cerca ya de la escena, le pareció que un rumor llegaba hasta él.

Apurado, sin mirar, dio vuelta y entró a su palco donde poco después se le fue a reunir la prima donna:

—¿Hace mucho que viniste? —preguntó a ésta.

—No, recién en este momento llego, ¿por qué?

---

[297] Así se llama la desembocadura del Riachuelo, el arroyo que delimita la parte sur de Buenos Aires. Desde los años 80 de la pasada centuria, constituye el barrio italiano de la Capital Federal.

[298] La Catedral de Buenos Aires, varias veces derrumbada total o parcialmente, se volvió a construir en 1862, tomando como base para su fachada el diseño de la iglesia de la Magdalena de París.

[299] Monumento recordatorio de la Revolución de Mayo, edificado en 1811 en la plaza de la Victoria. Hoy ocupa el centro de la plaza de Mayo.

[300] Taquilla, despacho de billetes.

—Porque me había parecido oír antes como el roce de un vestido.

No hablaron más. Y las escenas de la calle de Caseros, en el gran silencio del teatro despoblado, tornaron a repetirse.

Pero una voz sonó de pronto:

—¿Dónde está mi mujer?

Era Gorrini que interpelaba a la sirviente, la que sin saber qué contestar, turbada[301], tartamudeaba.

—¿Dónde está mi mujer? —repitió aquél duramente, fuerte.

Entonces, abriéndose la puerta del camarín contiguo —el camarín de la contralto:

—¿Busca usted a su señora, señor Gorrini? —exclamó ésta en un tono incisivo de ironía, con inflexiones perversas en la voz.

Y sin dar tiempo a que el otro hablara[302].

—Me parece que la he visto entrar allí, agregó, saliendo al pasadizo y apuntando al palco de Andrés.

—¡Ah!... —se limitó a hacer el marido y, comprendiendo, llevó el cuerpo hacia adelante con marcada intención[303] de retirarse.

Pero bruscamente se detuvo, pareció reflexionar y ante una sonrisa que fue un chuzazo[304] en boca de la contralto, estrechado, entre la espada y la pared, estalló al fin e hizo una escena.

Llamó, gritó, pateó, entró al camarín, volvió a salir, corrió por último a golpear la puerta del palco:

—¿Dónde está mi mujer? Marietta... Marietta... abran, *corpo della madonna!*[305]... ¿no hay nadie aquí?...

Irritado a pesar suyo, sin querer estarlo, sin darse cuenta de que lo estaba, mareado, entusiasmado como se entusiasman

---

[301] La 1.ª ed. no incluye *turbada*.
[302] 1.ª ed.: *contestara*.
[303] 1.ª ed.: *con ademán*.
[304] Golpe dado con la chuza, lanza de bambú provista de un rejón de hierro, usada por los indios y los gauchos.
[305] «¡Cuerpo de Nuestra Señora!»

los cobardes, al eco guerrero de su propia voz, sacudía la puerta con violencia.

Andrés, entretanto, conservando una perfecta sangre fría:

—Ni hables, ni te muevas —murmuró al oído de su querida, mientras la empujaba al otro extremo, contra la reja del palco.

Luego, abriendo la puerta:

—Estoy yo —exclamó, cuadrado en el umbral—, ¿qué se le ofrece?

—¿Mi mujer?...

—¡A mí me pregunta por ella!

Explíqueme más bien con qué derecho se permite usted venir a meter las narices donde nadie lo llama.

—Busco a mi mujer...

—¡Y qué tengo yo que hacer con su mujer!

Vaya a buscarla a otra parte, si se le ha perdido.

—Es que me habían dicho...

—¡Qué le han dicho.... qué me importa a mí lo que le hayan dicho!...

—Perdone... disculpe usted... yo creía... —repuso Gorrini balbuciente, batiendo en retirada, visiblemente desconcertado ante el aplomo[306] de Andrés.

Todo parecía, pues, concluir allí, el peligro haber sido conjurado, cuando en mala hora para la prima donna, el marido, al volverse, alcanzó a verla cruzar corriendo el escenario.

Dominada por el miedo, confundida, había abierto la reja creyendo poder escapar por ese lado:

—¡Infame! —vociferó Gorrini y furioso, hizo ademán de arrojarse sobre la cantora.

Pero fuertemente Andrés lo había detenido ya del brazo:

—Salga —le dijo queriendo por lo menos evitar el escándalo en el teatro—, venga conmigo, nos explicaremos afuera.

Y en la creencia de que el otro lo seguiría, por entre un grupo de artistas, músicos[307] y coristas que habían ido llegando y

---

[306] 1.ª ed.: *por el aplomo.*
[307] 1.ª ed.: *de músicos.*

que atraídos por los gritos se juntaban, precipitadamente salió él mismo.

En vano en la calle esperó cinco, diez minutos; el otro no aparecía.

Tuvo entonces una idea: ir al Café de París donde sus amigos comían, y encargar a alguno de ellos del asunto.

XXI

Se empeñaba en desafiar a Gorrini:

—¡Pues señor, esto sí que está gracioso, le soplas un par de bravos cuernos y, como si no le bastara al infeliz, pretendes ahora agujerearle el cuero! —dijo uno de los de la rueda, el conocido más viejo y más íntimo de Andrés, una antigua camaradería de colegio.

—Háganme ustedes el favor —continuó dirigiéndose a los otros, afectando tomarlo a risa y a juguete—, ¡bonito papel iba a hacer su excelencia, lucido iba a quedar saliendo a romper lanzas en descomunal combate, nada menos que con todo un señor primo donno!...

No te faltaba otra cosa para acabar de acreditarte ante el respetable público...

Hombre, hombre, si eso ni decente es, ni serio, ni racional siquiera.

—Me tiene caliente el italiano.

—¿Has comido?

—No.

—Claro, pues, estás hablando de hambre...

Atempérese S. E., tome asiento, coma y déjeme hacer.

Ya verás cómo sin necesidad de que corra ni tampoco una sola gota de sangre, te arreglo yo el negocio en tres por cuatro[308]. Gorrini es mi grande y buen amigo; respondo de todo.

—Aquí no hay más arreglo ni más nada que romperle el alma al tipo ese.

---

[308] En un santiamén, en un periquete.

—Siempre estarás en tiempo para hacerlo[309], nada pierdes con esperar.

Los otros, a su vez, intervinieron, trataron de calmar, de disuadir a Andrés.

Él se obstinaba, rabioso, con una expresión arisca en la mirada, presa de una sorda crispación nerviosa.

Al fin, de mala gana, obsedido[310], acabó par consentir. Pero era valor entendido que, no sólo no daba explicaciones, sino que por el contrario las exigía por haber tenido el otro la audacia y la insolencia, decía, de ir a golpearle el palco.

---

[309] 1.ª ed.: *de hacerlo*.
[310] Galicismo. Obsesionado.

XXII

Una hora más tarde, el oficioso interventor cruzaba la calle, subía las escaleras del Hotel de la Paz y llamaba a la puerta de Gorrini:

—Conozco, señor —empezó por declarar a éste muy serio, después de un expresivo y silencioso apretón de manos, el desgraciado incidente de esta tarde[311].

Debo agregar que Andrés, muy prevenido contra usted, ignora por completo el paso que me he permitido dar.

Si aquí he venido, es tan sólo obedeciendo a inspiraciones propias y en el deseo de evitar las deplorables consecuencias a que, mal interpretado, podría arrastrar un acto de su señora, impremeditado, indiscreto si se quiere, pero perfectamente correcto en sí mismo.

—¡Oh, señor! —hizo Gorrini muy digno, alzando el brazo en un elocuente gesto de protesta.

Sí, cierto, tenía mil veces razón, las apariencias condenaban a Andrés y a la Amorini y sin embargo nada más natural, nada en el fondo más sencillo ni más fácil de explicar que lo que entre ambos había pasado.

La serenidad y la calma cuadraban bien en ciertas situaciones de la vida, la pasión solía ser un pésimo consejero, las cosas más vulgares y más simples bastaban muchas veces a poner de manifiesto lo que, en un primer momento, podía ofrecerse al espíritu ofuscado, afectando caracteres y colores muy diversos...

---

[311] 1.ª ed.: *la tarde*.

—Pero, en fin, señor, ¿qué es lo que quiere usted decir... podré saberlo? —interrumpió Gorrini dando visibles muestras de impaciencia.

—Esto, sencillamente, y me consta, porque jamás tuvo Andrés secretos para mí y porque soy su íntimo amigo.

Si algo pues existiera entre la señora Amorini y él, yo sería el primero en conocerlo.

Había dispuesto ciertos arreglos en su palco. Yendo a comer al café de París, de paso, se le ocurrió ver lo que había hecho el tapicero y entró al teatro.

Mientras abría el palco y desde la puerta de su camarín atinó a distinguirlo la Amorini que en ese instante acababa de llegar.

Buenamente se acercó, hablaron, se pusieron ambos a conversar de cosas sin importancia, cuando, de pronto, oyendo que la voz de Gorrini la llamaba, sorprendida y temerosa a la vez, de que fuera censurada su conducta, de que su inocente entrevista en aquel lugar del teatro oscuro y solitario despertara las sospechas de su esposo, bruscamente, en un primer arranque irreflexivo, entró al palco y se ocultó, no obstante las instancias en contrario y las observaciones de Andrés.

Después, era tarde ya; volver sobre la imprudencia cometida habría sido declararse delincuentes sin razón.

¿Qué hacer, cómo salvarla, cuál era el deber de Andrés?

Claro, negar que allí estuviera. No le quedaba otro camino y fue lo que hizo.

Lo demás, el marido lo sabía.

Hubo un silencio incómodo, violento.

Los dos, perplejos, habían bajado la cabeza, evitaban el encuentro de sus miradas.

Pero Gorrini, al fin, poniéndose de pie:

—Gracias, gracias... es usted un caballero, un completo caballero... ¡Usted sí!... —exclamó súbitamente.

Se había apoderado de las manos de su interlocutor. En una vehemencia de expansión, calurosamente las sacudía[312].

---

[312] 1.ª ed.: *se las sacudía.*

Luego, con paso agitado y seco, púsose a caminar largo a largo por el cuarto, empezó a lamentarse en alta voz.

Todo era inútil, todo para él había concluido en el mundo, el terrible golpe que acababa de sufrir lo dejaba postrado para siempre, la infame lo había hecho eternamente desdichado, en un momento había echado por tierra sus más gratas ilusiones, envenenado su existencia, cubierto su nombre de ignominia, lo había traidoramente escarnecido, deshonrado, a él, un noble, un conde, un hijo de ilustre raza, a él que todo lo abandonara[313], porvenir, familia, patria, que todo sacrificara por ella.... y tanto[314] que la había querido... ¡infame, infame, infame!...

---

[313] 1.ª ed. *le abandonara*. En la mayor parte de Hispanoamérica, el imperfecto de subjuntivo sigue teniendo valor de pluscuamperfecto. (Cfr. Kany, págs. 208-213.)

[314] 1.ª ed.: *y tanto y tanto.*

XXIII

Solari declaraba que la verdadera víctima era él.

Que el buen nombre de su teatro, la reputación de sus artistas, sufriría[315] con todo aquello, que la historia, corregida y aumentada, corría ya de boca en boca, que la compañía se desacreditaba a los ojos del público, y que quien, en fin de cuentas, salía perdiendo, era el empresario.

¡Para eso servían los amigos!...

Se preparaba a quebrar con Andrés, a recibirlo con una piedra en cada mano.

No quería saber más nada, tener tratos ni contratos con él; estaba cansado de que, de puro bueno, lo explotaran.

Inquieto y movedizo como una fiera enjaulada, esperaba a Andrés en la sala de la Empresa.

Al ver que, una vez terminada la función, salía éste del brazo de la prima donna[316], fue y se le puso por delante:

—¿Adónde van ustedes?

—A dormir —repuso Andrés—, supongo que ya es hora.

—¿Así, juntos los dos se retiran?

—Y de ahí, ¿qué hay con eso?

—Quisiera decirle una palabra, Andrés —prosiguió con reserva el empresario—, ¿usted permite señora Amorini?....

—*Faccia pure...*[317].

Se lo llevó aparte y en voz baja:

—Hace mal en andar con ésta.

---

[315] 1.ª ed.: *sufría.*
[316] 1.ª ed.: *con la prima donna.* Más adelante: *se le puso.*
[317] Proceda tranquilamente, haga no más.

He hablado con Gorrini, yo no respondo de nada si llegan ustedes a encontrarse...[318] ... Se lo aviso como amigo, no vaya a suceder alguna desgracia, sea prudente, el hombre está furioso, ¡es una tigra!...

—¿Tigra dice? —exclamó Andrés soltando una carcajada—, ¡diga más bien un carnero!...

Y a la vista y paciencia de todos salió con la cantora[319] y se la llevó a dormir a su casa.

Al día siguiente, el marido se embarcaba... a esperar a su mujer en Río Janeiro.

---

[318]   1.ª ed.: *si se encuentran...*
[319]   1.ª ed.: *Y volviendo a tomar del brazo a la cantora, a la vista y paciencia de todos salió con ella.*

XXIV

Llevado por un sentimiento de pundonor[320], siguió Andrés arrastrando la cadena de sus amores, fue el amante titular de la Amorini durante el resto de la temporada, viviendo confesadamente con ella en el hotel.

La comunidad de esa vida, las mil pequeñas miserias de la existencia, palpadas en la estrecha intimidad de cada instante, desvaneciendo hasta la más remota sombra de una ilusión, poco a poco, colmaron la medida, acabaron por operar en él una total transformación.

Una de esas hostilidades sordas, implacables, se declaró contra la artista en el ánimo de Andrés.

La indiferencia del principio, el cansancio, el empalago que el amoroso ardor de su querida llegara a producirle, inconscientemente se habían trocado al fin en una antipatía invencible, en una aversión profunda.

Era mala, ruin, ordinaria, vulgar.

Sin dotes, sin talento, sin esos arranques secretos y misteriosos del alma, sin esa exquisita susceptibilidad nerviosa que enciende la chispa inspiradora, el fuego a cuyo calor brotan y se abren bajo otro cielo las sensitivas sublimes del arte, cantaba como cantan los bachichas[321], por oficio, porque sí, probablemente porque habiendo abierto la boca un día, descubrió que tenía voz.

---

[320] 1.ª ed.: *Obedeciendo a un sentimiento de delicadeza y pundonor.*

[321] «Apodo que damos a los italianos y en especial a los genoveses, entre quienes es muy común el nombre Bautista *(Baciccia* en genovés).» (Segovia.) El apodo es francamente despectivo.

159

En *Lucrezia*[322], se abocaba furiosa con Maffio y con los otros, al pronunciar la frase: *Nessuno in questa sala...*[323].

En *Fausto*[324], se remilgaba toda, se fruncía para decir: *vanarella sono adesso*[325].

Repetía las cosas al revés, como lora, no le daba, no caía[326], no entendía, ¡era decididamente una bruta!...

Y hasta era fea: tenía los ojos metidos en la nuca, la punta de la nariz medio de lado, las orejas mal hechas, la boca grande, los brazos flacos y las piernas peludas, como piernas de hombre.

Todo en ella había concluido por darle en cara, por cargarle, le chocaba, lo exasperaba.

Sus gestos, su figura, sus palabras, el eco de su voz, su modo de sentarse, de estar, de caminar.

En la mesa, olía la comida y usaba escarbadientes.

Además, era zurda y le daba por querer hablar en español, por llamar a Andrés *anquel* mío, *marrido* mío, *querrido* mío y por preguntarle si él también la *amava*, de noche, en la cama.

Había momentos en que tentaciones brutales lo acometían: estrujarla, estropearla, insultarla, matarla y matarse él...

¿Qué ganaba con vivir, para qué servía?... —llegaba a exclamar acariciando más y más la idea de acabar por pegarse un tiro, familiarizado ahora con ella.

Sí, desahogar su rabia por algún acto salvaje de violencia, vengarse de su suerte en su querida...

Pero una invencible y oculta repugnancia, un pudor de hombre lo contenía, desarmaba su brazo una súbita compasión.

¡Infeliz, qué culpa tenía!... ¿quererlo?...

---

[322] Ópera del compositor italiano Gaetano Donizetti (1797-1848), basada en la tragedia *Lucrèce Borgia* (1833) de Victor Hugo.

[323] «Nadie en esta sala...».

[324] Ópera del compositor francés Charles Gounod (1818-1893), inspirada en el drama de Goethe de 1832, estrenada en París en 1859.

[325] «Ligera me siento ahora.»

[326] Abundan en Cambaceres los vulgarismos o modismos criollos tales como *no le daba* («no se mostraba capaz») o *no caía* («no daba en la expresión justa»).

Y arrepentido, irritado contra él mismo, humillado a la idea de su propia indignidad, pacientemente se resignaba a esperar.

No sería eterno su tormento, en suma, tendría un fin...

Solari iría a abrir el teatro en Río Janeiro; tarde o temprano se vería libre de ella.

XXV

Buscaba entretanto mil pretextos para poder alejarse de su lado, le rehuía, mintiendo ocupaciones y quehaceres, trataba de pasar sus días fuera del hotel.

Alegaba deberes, compromisos, enfermos de su familia, amigos que se ausentaban, negocios que no hacía, citas, entrevistas, asuntos en la Bolsa[327] que no pisaba jamás. Se encerraba en su casa; no leía.

Exclusivista intratable, nada admitía que no fuera de su escuela, para él, no había más Dios, ni más santos que los suyos.

Quería que se cortara por lo sano, en carne cruda, verdad, realidad, vida.

Lo demás, era como asistir a una función de títeres, espectáculo bueno para idiotas y muchachos.

Apenas, de tarde en tarde, le era dado saborear algún primor, la última novedad, el último rasgo de alguno de los maestros.

Maquinalmente, donde el movimiento automático de sus piernas lo llevaba, en su escritorio, en su sala, se dejaba estar.

¿Por qué se quedaba allí, qué hacía?

Nada, no se daba cuenta, no sabía.

Era como un abotagamiento, como un letargo intelectual, pero un letargo consciente, no dormía y, sin embargo, no pensaba, la vida animal sólo persistía, semejante a una máquina en reposo que tuviera encendidas sus hogueras.

---

[327] Centro de la vida económica y financiera bonaerense, dará lugar, seis años después de publicarse *Sin rumbo*, a un ciclo de tres novelas: *Horas de fiebre*, de Villafañe, *Quilito*, de Ocantos y *La bolsa*, de Martel.

Una vaga y misteriosa melancolía parecía flotar en la atmósfera de aquella casa inhabitada de soltero. Dominaba una impresión de soledad, de tumba, entre aquellos muros encerrados; los muebles severos, viejos, lóbregas, oscuras las alfombras, las colgaduras sombrías, las tapicerías antiguas de Beauvais[328] desvanecidas, sin color, como ostentando en sus tintas desteñidas las canas de su edad. Andrés, de pronto, salía.

En un anhelo de movimiento, en un deseo, en una necesidad de ruido y de tumulto, vagaba por las calles más centrales.

Pasaba por el club; la fuerza de la costumbre lo hacía entrar.

Nadie había a esa hora, o a nadie hablaba.

Los altos de diarios, alineados sobre la larga mesa de la sala de lectura, solían tentarlo alguna vez. Los abría, trataba de recorrerlos; pero bruscamente los hacía luego a un lado, arrugando el papel con un gesto de impaciencia; se ocupaban sólo de política y la política —un mercado de conciencias en la plaza de la República— le había inspirado siempre la repugnancia más franca y más cordial.

Daba orden de atar; llegaba hasta Palermo[329].

Aquel ridículo *étalage*[330], aquella rueda de gente en coche, yendo y viniendo, girando apeñuscada entre polvo, impensadamente despertaba en él la idea de un remolino de hacienda resabiada[331].

Los cocheros de bigote eran su bestia negra, no los pasaba, no los podía sufrir...

¡Canallas y todos tenían bigote!...

Se volvía.

A duras penas se arrastraba así hasta la hora de comer y de ir al teatro.

---

[328] Ciudad del norte de Francia, célebre por su catedral gótica y su galería nacional de tapices.

[329] El equivalente bonaerense del Retiro madrileño o del *Bois de Boulogne* parisino. Propiedad de Rosas hasta 1852, pasó al Estado después de la victoria de Caseros en 1852.

[330] Francés. Exhibición, ostentación.

[331] Animales indóciles, llenos de mañas o vicios.

Durante la función, por verse libre de mirar[332] a la Amorini y por no oírla, se metía en el escritorio de la Empresa; bebía cerveza y hasta fumaba negros con Solari.

Pero a Solari ahora, le había dado por burlarse de él, lo miraba con cara de risa y le palmeaba familiarmente las espaldas, diciéndole: mi primo donno.

Irritado, exacerbado, salía entonces a la calle, iba a otros teatros, estaba diez minutos y se mandaba mudar[333] dado a los diablos, renegando contra las empresas, llamando perros a los artistas.

Caía al Club después de media noche, al bacarrá, su gran recurso. Pasaba horas enteras sobre la carpeta viviendo la vida artificial del jugador, excitado, nervioso, febriciente, perdiendo lo que no podía perder, pagando un olvido momentáneo al precio loco de los últimos restos de su haber.

Se levantaba al fin, mareado, abrumada la cabeza, los ojos sumidos y vidriosos, seca la garganta, oprimido el pecho, sediento de aire.

Eran, entonces, las largas caminatas, sin plan ni rumbo, al través de la ciudad desenvolviendo el recto y monótono cordón de sus calles solitarias, la sucesión interminable de sus casas saliéndole al encuentro, como mirándolo pasar en la muda indiferencia de sus postigos cerrados.

Las mismas acerbas sugestiones de su mal, más negras, más dolorosas cada vez, como recrudece el dolor en las crisis de las enfermedades sin cura a medida que la muerte avanza.

Y al respirar el aire fresco y puro de la noche, las ráfagas del viento de tierra con olor a campo y con gusto a savia, se sentía de pronto poseído por un deseo apremiante y vivo: volverse. Una brusca nostalgia de la Pampa lo invadía, su estancia, su libertad, su vida soberana, fuera del ambiente corrompido de la ciudad, del contacto infectivo de los otros, lejos del putrílago social.

Pero el recuerdo de Donata encinta de él, la idea de que un hijo, un hijo suyo iba a ser el fruto de sus tratos con aquella

---

[332] 1.ª ed.: *de tener que mirar.*

[333] Modismo que significa irse, desaparecer, marcharse, por lo común sin despedirse y, particularmente, en forma subrepticia. (Abad.)

desgraciada penosamente entonces trabajaba su cabeza enferma, lo afectaba.

Engendro del azar, obra de un capricho fugaz, de un antojo brutal en una hora de extravío, ¡por qué nacía, a qué venía trayendo en la frente la marca impura de su origen!

Y un sentimiento complejo lo agitaba, hecho de dolor, de vergüenza, de pesar, donde se mezclaba ese secreto orgullo de la generación, el grito de la naturaleza vencedora llenando implacable y fatalmente su tarea donde la voz ciega del cariño, de un cariño inmenso, infinito, acababa por estallar en él venciendo la resistencia de humanas preocupaciones, acallando sus alarmas, conmoviendo extrañamente todas las ocultas fibras de su ser.

Hijo natural, hijo de china... ¡qué le importaba al fin, si era su sangre!

Se daría a él en cuerpo y alma, lo querría, lo adoraría con la adoración predilecta de los padres por el hijo que nace desdichado, haría de él una fuerza, un carácter, todo un hombre, lo avezaría a la lucha, le daría la dureza del bronce y el temple del acero.

Sobre todo, era hijo suyo, él lo impondría...

El mundo, soberbio y cruel con los de abajo, era servil y ruin con los de arriba.

Un nombre, una fortuna, oro, eso bastaba, eso abría de par en par todas las puertas, daba todo: honra, talento, probidad, reputación, fama, respeto, todo lo allanaba, todo lo brindaba, llevaba hasta la alcoba de la virgen.

Insensiblemente, absorbido, caviloso, se encontraba de pronto en algún extremo de la ciudad, el Retiro[334], el Once[335], las barrancas del Sud[336].

Daba vuelta y deshacía lo andado.

Su orgullo luego se abatía, un desaliento lo postraba.

---

[334] Amplia plaza arbolada del Barrio Norte de Buenos Aires, transformada en 1862 en paseo con la estatua de San Martín en su centro.

[335] Nombre bajo el cual se suele designar la plaza y la estación 11 de Setiembre.

[336] Zona comprendida entre San Telmo y el actual Parque Lezama. Los tres lugares aludidos aquí corresponden respectivamente a los extremos norte, oeste y sur de la ciudad en el Buenos Aires del 80.

¿Quién era él para lanzar el anatema de su desdén sobre los otros, de dónde sacaba su influencia, su prestigio?

¡Era, acaso, en el desperdicio de las fuerzas vivas de su naturaleza en su pasado, en ese pasado vergonzoso de desenfreno y despilfarro, que hacía estribar su estúpida altivez!

¡Qué rumbos había seguido, qué rastros había dejado, qué cosa había hecho en toda su vida, buena, digna, noble, útil, sensata siquiera!...

Y hablaba de su hijo, de formarlo y educarlo... ¡Infeliz! el hecho sólo de tener por padre a un bellaco como era él, bastaba para hacer la desesperación y la desgracia de cualquiera...

Su situación de fortuna, el estado más difícil cada vez de sus recursos, recargando el cuadro de sombras negras, aumentaba la amargura de esas tristes horas de abstracción.

Él que no se había preocupado jamás de esas miserias, él que había vivido habituado a ver en el dinero sólo un dócil instrumento de placer, que lo había arrojado siempre a manos llenas, sin contar, se sublevaba ahora ante la idea de la pobreza, se la reprochaba como un crimen...

Pocos días antes, por llenar sus compromisos haciendo honor a su palabra, cantidades perdidas al juego, noche a noche, en el Club, se había visto en la necesidad de hipotecar su estancia, lo único que de su herencia le quedaba.

Sus gastos, sus carruajes, sus caballos, su querida regiamente mantenida por él, todo ese lujoso tren de vida, devoraba por otro lado fuertes sumas.

¡Un paso más, era la ruina, la miseria, el fin!...

Y deshecho, destroncado, rendido de cansancio, agobiada el alma bajo el peso del remordimiento, perseguido por la obsesión del hijo que no tenía, con la conciencia de sus treinta años de vida miserablemente malgastada, cayendo sobre él como una maldición; de día claro, muchas veces, llegaba a la puerta del hotel y atado al carro de sus amores, tiraba de la campanilla como un buey tira del yugo.

XXVI

«Marietta:

»Aborrezco las despedidas.

»Jamás a nadie he dicho adiós. Ni aun a mi madre, muerta ausente yo de su lado.

»Las reputo un inútil sufrimiento, como un lujo de dolor, como enterrarse uno más una espina, o un puñal.

»Discúlpame, pues, si no mantengo la promesa que te hice de acompañarte hasta a bordo.

»Sé feliz y trata de volver a juntarte con Gorrini.

»Condenada a vivir rodando por el mundo como bola sin manija[337], te conviene un hombre. Aunque sea un hombre de paja como tu marido.

»Mal acompañada, andarás siempre mejor que sola.

»Perdona los disgustos que te he causado; mis genialidades, mis arranques, mis rarezas, y si algo te ha de quedar de mí en el corazón, trata de que sea un poco de lástima, antes que de aversión o de despecho.

»¿Nos volveremos a ver?

»¡Quién sabe!, probablemente no...»

«¡Y a los infiernos abanico que se acabó el verano!»[338] —hizo Andrés como quitándose de encima un peso enorme.

Firmó, metió el papel junto con veinte billetes de mil francos en un sobre y llamó al sirviente:

---

[337] Modismo criollo, procedente del uso de las boleadoras, donde la *manija* representa la más corta de las sogas. Su sentido es el de «andar rodando sin rumbo, de acá para allá».

[338] Manera de expresar el hecho de que uno se ha quitado un peso de encima.

—Esta carta a su dirección. Entréguela en manos de la persona misma y vaya a esperarme al Once.

Tiene una hora; el tren sale a las tres.

Luego, sin perder un solo instante, atareado, con el nervioso apuro de un colegial en vacaciones, empezó a hacer su maleta.

Agarraba lo primero que le caía a mano, medias, camisas, calzoncillos[339], metía todo al azar, lo arrugaba, lo estrujaba, lo empujaba, lo hacía caber como quien hace caber lana en los buches de un colchón.

Y con la idea persistente y fija de su hijo, devorado por la fiebre del deseo, en el ardiente anhelo de ver, de saber, sin poder esperar más, queriendo acercarse cuando menos, ya que le era imposible llegar el mismo día, cinco minutos después corría a tomar el tren sabiendo que iba a tener que dormir en el camino.

---

[339] 1.ª ed.: *las medias, las camisas, los calzoncillos.*

168

XXVII

Pasó la noche sentado sobre una silla en una de esas piezas de hotel de pueblo de campo, roñosas y pulguientas[340], mirando la cama con horror, hirviendo en chinches probablemente, sin querer acostarse ni aun vestido.

Al través de los tabiques de lienzo, llegaba hasta él el áspero ronquido del sueño de sus vecinos. Un olor acre a pucho de cigarrillo del país había filtrado por las grietas de la pared[341], apestaba el cuarto, mientras, remolineando en torno de su cabeza sin cesar, una nube hambrienta de mosquitos dejaba oír su chirrido exasperante.

Al alba, sin poder aguantar más, abrió la puerta.

Garuaba[342]; un agua desmenuzada en polvo, como bocanadas de vapor condensadas en la atmósfera.

Sin un relámpago, sin un trueno, en la tristeza gris de un cielo bajo y chato, las nubes pasaban corriendo del sudeste; hacía frío.

Los peones, llegados desde el día antes del establecimiento de Andrés y levantados ya, se ocupaban en enganchar el carruaje, una especie de silla de posta ancha con pescante, tirada a cuatro caballos:

—Y, ¿alcanzaremos a ponernos en el día? —dijo Andrés dirigiéndose al que hacía cabeza.

—¡Quién sabe, patrón!

---

[340] Pulgosas.
[341] 1.ª ed.: *del papel*.
[342] Lloviznaba.

Los caminos han de estar pesados y los arroyos crecidos. Ha llovido fuerte toda la noche.

Repentinamente tuvo una idea: preguntar; ellos eran de la estancia, debían saber, podría salir de dudas así.

Pero una secreta repugnancia lo detuvo, un inconfeso pudor de poner en boca de aquella chusma lo que tan de cerca le tocaba.

Una sonrisa, una palabra de comentario osada o desmedida, lo habría herido como un ultraje brutal, como una profanación de lo que, en los transportes de su soñado afecto, consideraba ya sagrado para él:

—Aten de una vez y péguenle sin lástima.

Aunque revienten los mancarrones y quede el tendal[343] por el camino, quiero llegar hoy a la estancia, se limitó a agregar entonces secamente, volviendo a dar orden al sirviente que cargara su valija.

Pocos momentos después, en medio de un copioso golpe de agua, el carruaje se ponía en marcha.

Penosamente los caballos lo arrastraban, forcejeaban enterrándose en las huellas de las calles convertidas en un espeso barrial[344].

Por entre los cristales empañados, Andrés al salir a campo abierto, tendió la vista.

El campo era un mar, las lagunas desbordadas se juntaban; desde lo alto de la loma cuya cima desenvolvía la cinta negra del camino semejante a un puente sin fin, sólo las poblaciones, los montes de las estancias alcanzábanse a distinguir como islas a lo lejos.

Ni un caballo, ni una vaca, ni un pájaro, tras de la inmensa cortina de agua sacudida por el azote furioso del sudeste, descolgándose a torrentes, como empeñada en llenar el aire después de haber cubierto el suelo:

«¡Día cochino, sólo esto me faltaba!» —murmuró Andrés hablando solo, exasperado y rabioso ante la pérdida de tiem-

---

[343] *Quedar el tendal:* quedar gente o animales muertos o heridos, dispersos por el suelo.
[344] Barrizal.

po que la lluvia le originaba, en presencia de ese nuevo obstáculo opuesto como de intento al colmo de sus deseos.

Maquinalmente permaneció un instante inmóvil. Miraba correr el agua a chorros sobre la tersa superficie de los cristales.

Luego, bruscamente, acostándose a lo largo de los asientos, recogió las piernas y se echó encima una manta de viaje.

Sentía el cuerpo dolorido, entumecido, por la noche sin descanso que había pasado en el hotel.

Una profunda lasitud se apoderaba de él en el monótono repique de la lluvia contra la tolda del coche. El desliz de éste, blando y silencioso, sobre la tierra empapada, suavemente lo mecía. No tardó en cerrar los ojos y en dormir.

XXVIII

Era grande su hijo, grande y poderoso.

Había vencido, había llegado, oprimía con orgullosa planta las alturas, las masas subyugadas lo endiosaban, tenía en su mano el cetro de los genios.

Y él, Andrés, su padre, lo contemplaba...

Pero incoherente luego, informe, como se borran las imágenes en un teatro de sombras chinescas, la luminosa visión se disipaba envuelta en las caprichosas redes de la fantasía y de la vaga y opaca nebulosa provocada por el sueño en el cerebro de Andrés, repentinamente un monstruo se desprendía.

Un monstruo horrible, un enano deforme, de piernas flacas y arqueadas, de cabeza desmedida, de frente idiota.

Los músculos tirantes, inyectadas las venas del pescuezo, como a extremo de reventar bajo la piel amoratada y fofa, en el enorme esfuerzo, un sonido inarticulado atinaba sólo a salir de su garganta estridente, agrio, semejante al grito avieso de la lechuza.

Había una plaza..., mucha gente.

El monstruo echaba a correr, se convertía en un chancho[345], retozaba, se perdía en el tumulto, entre las piernas de los hombres, bajo las polleras de las mujeres, y hombres y mujeres derribados por él, caían unos sobre otros, en montón.

Luego, más allá, en un claro, aparecía, de nuevo saltaba, era un escuerzo[346] ahora, se hinchaba, se agrandaba; los otros se echaban sobre él, se empeñaban en aplastarlo a tacazos.

---

[345] Cerdo.
[346] Sapo.

Pero Andrés desesperado lo defendía, a empujones, a golpes ensanchaba el claro, contenía a la muchedumbre, se arrojaba jadeante encima de él, le hacía un escudo con su cuerpo, y como amparan las comadrejas acosadas a sus crías se lo echaba al seno y disparaba.

Una algazara salvaje lo perseguía entonces. Gritos, alaridos, carcajadas:

—¡Su hijo, su hijo, es su hijo!

Él, humillado, confundido, rojo de rubor y de vergüenza, pero lleno el corazón de amor, de un amor desnatural, insensato, de un sentimiento inhumano, imposible, absurdo, loco, afanosamente se alejaba con su preciosa y repugnante carga, seguía huyendo con el escuerzo en el seno.

La impresión de aquella piel pustulosa y fría de reptil en contacto con su piel, todo entero lo erizaba, la rechifla sangrienta, el grito atroz:

—¡Su hijo, su hijo, es su hijo! —como el cintarazo de una verga zurriaba en sus oídos.

Vacilaba, tropezaba, sin saber cómo se enredaba y caía debatiéndose en el suelo presa de una angustia horrible...

Y la grita mientras tanto se acercaba, atronadora, infernal, semejante al rugido de una ráfaga de borrasca.

Su angustia redoblaba, se arrastraba oprimido sin poderse levantar, le faltaba aire, se ahogaba, se moría.

Prodigiosamente, sin embargo, sus piernas adquirían la elasticidad y la fuerza de un resorte de acero. Volaba entonces; y zanjas, pueblos, campos, paredes, ríos, todo pasaba revuelto, turbio, confundido en una velocidad vertiginosa de bala, todo quedaba allá, lejos, a trasmano, un gran silencio se hacía, una quietud, una inconsciencia poco a poco lo invadía, dulce, lenta, progresiva, como la extinción del brillo de una brasa bajo la ceniza que gradualmente la cubre.

Y todo, todo era mentira. Ni él tenía hijo, ni había existido tal monstruo; el enano, el chancho, el escuerzo, eran quimeras, vanos delirios de su mente en una hora de pesadilla.

Y soñando al fin que había sido un sueño aquello, acababa por soñar que se encontraba en viaje, que se iba a Europa, que estaba a bordo, tranquilamente acostado en su camarote del vapor.

173

De pronto, en un balance, creyó que el buque se tumbaba. Sobresaltado, se sentó y abrió los ojos...

El carruaje acababa de ladearse, sumido hasta la maza[347] en una encajadura vieja de carreta.

---

[347] Cubo, centro de la rueda.

XXIX

Había escampado.

Una raya de luz partía en dos el horizonte, se divisaba al oeste como un arco iris acostado.

Las nubes, después de descargar su enorme peso de agua sobre el suelo, livianas, se remontaban. Bajo el espacio ensanchado, la calma empezaba a renacer.

Los gallos, desde las casas, cantaban aleteando; se escuchaba a la distancia el balido de las majadas; desconfiados, los teros observaban, se hacían chiquitos en lo seco, mientras agarrando el campo por suyo, las manadas de yeguas, friolentas, con los pelos parados, retozaban entre el agua.

Era como una aurora de vida y de alegría.

Medio dormido aún, asomóse Andrés[348] por uno de los cristales:

—¿Qué pasa? —preguntó.

—Que nos hemos encajado, señor; pero no ha de ser nada, vamos a prender las cuartas[349].

Y metiéndose los dedos en la boca, el cochero, de pie sobre el pescante, dio un silbido agudo y prolongado llamando a los dos peones que arreaban la tropilla.

Andrés miró el reloj: eran las doce.

En medio día había andado apenas diez leguas y le faltaban otras diez.

---

[348] 1.ª ed.: *asomó Andrés el cuello*.

[349] Las *cuartas* son tanto las «sogas o cadenas para ayudar a los vehículos empantanados o muy cargados» como los «caballos que se agregan a los otros que tiran un vehículo, ayudándolos a salvar un mal paso, subir una cuesta, etc.» (Saubidet.)

Apuró de nuevo a su gente:

—¡A ver, esas cuartas si se mueven, parecen napolitanos[350] ustedes.!...—gritó a los de la tropilla que en ese instante se acercaban.

Ellos, en silencio, se bajaron y cincharon[351] preparando sus lazos.

Largo rato se perdió en sacar el coche. Uno de los caballos, redomón[352] y pesado ya, no tiraba; lo mudaron. La otra cuarta se cortó en un cimbronazo[353] a destiempo; fue necesario echarle un nudo, ponerla de dos.

Pronto todo en fin, el cochero desde arriba, revoleando el látigo, animó con la voz a sus dos yuntas, se oyó el chasquido de unos cuantos rebencazos[354], los animales hicieron pie, y el carruaje, en un crujido, como si lo arrancara el tirón un grito de dolor, empezó a moverse despacio, pesadamente salió de su honda encajadura y el lento viaje pudo continuar.

Más tarde, frente a una pulpería, Andrés quiso dar un resuello a los caballos, dijo a sus hombres que almorzaran.

Él mismo bajó, recordó que había pasado más de veinte y cuatro horas sin comer, prefiriendo ese largo ayuno y el pan y el pedazo de queso criollo que le iban a vender, a los guisos del hotel donde el día antes se había limitado a pedir una taza de café.

Largas horas se sucedieron luego, hastiosas, cansadoras, avanzando el carruaje a duras penas por una zona de tierras anegadizas, teniendo que relevar los caballos trecho a trecho, y solamente al caer la noche pudo llegar Andrés al arroyo limítrofe de su campo.

Allá, en frente, la ancha faja de monte de la estancia se proyectaba desigual y caprichosa sobre la recta matemática del suelo, alzándose abultada al seguir el arranque impetuoso de

---

[350] Ahí tenemos una muestra del desprecio o aversión que Cambaceres experimentaba hacia los italianos inmigrantes y que se explayará dos años después en *En la sangre*.

[351] Aseguraron el recado de montar apretando la *cincha*.

[352] Caballo que no está totalmente domado.

[353] Cimbrón, tirón fuerte.

[354] *Rebenque*: látigo corto formado por un mango de unos treinta centímetros y una lonja de cuero de igual longitud; *rebencazo*: golpe dado con el *rebenque*.

los álamos, deprimida en la espesura chata de los sauces y paraísos. Semejante en la penumbra a algún enorme cuerpo de animal echado.

Y cerca, a la izquierda, junto a las eses de plata del arroyo, el rancho de Donata coronaba una eminencia, quebraba en su blanco mojinete[355] los últimos rayos de la luz crepuscular.

Los peones, de a caballo, tanteaban la hondura buscando un paso.

Andrés, entretanto, atraída la mirada, se había apeado.

Una insólita impresión lo dominaba en presencia de aquel cuadro familiar a sus ojos sin embargo. Una emoción desconocida y extraña inmutaba su semblante.

De pie, junto al carruaje, paseaba la vista lentamente, obstinadamente, de la estancia a la población[356] del puesto y de éste a aquélla.

Al fin, inmóvil, absorto en la contemplación del rancho, palpitándole el pecho, apretada la garganta, como si un mundo de sentimientos se despertara en tumulto desde el fondo de su corazón aletargado, sintió que los ojos se le llenaban de lágrimas que no podía, que no sabía llorar él, el descreído...

Y la blanca imagen de su hijo atravesó el cristal turbio de su llanto.

Pero, bruscamente, al oír a su lado la voz de uno de los peones, avergonzado dio la espalda.

Su entereza, su orgullo de hombre se resistía a que lo sorprendiera así, llorando, otro hombre:

—¿Qué quiere? —dijo.

—Vamos a tener que nadar, patrón, el arroyo no da paso.

—Nadaremos.

—Pero, la volanta[357] es fácil que se vuelque en la mucha juria[358] de la correntada.

—¿Y para qué están los caballos?

---

[355] Frontón o remate triangular de las dos paredes más altas y angostas de un rancho.
[356] Conjunto de construcciones de un puesto.
[357] Coche antiguo de cuatro ruedas grandes y capota fija. (Saubidet.)
[358] «Furia» (como, antes, *juyendo* por «huyendo»).

Bájese y deme[359] el suyo —exclamó Andrés vuelto ya de su emoción, recobrando un completo dominio sobre él mismo.

—Se va a mojar, señor...

—¡Y de ahí, qué hay con eso!

—Como disponga, patrón, usted es dueño.

[359] 1.ª ed.: *présteme*.

XXX

En un momento se había sacado las botas, el paletot[360], subió a caballo, resueltamente enderezó cuesta abajo y se echó al agua.

Pero, ahí no más, el caballo perdió pie, sumido, arrebatado por la corriente, mientras dejando Andrés resbalar el cuerpo por un lado, envuelta la mano izquierda en un mechón de crin, porfiaba con la rienda en la derecha por dar dirección a su montura como prendido a la caña de un timón.

Fue entonces una lucha tenaz, encarnizada.

El hombre y el bruto apareando sus esfuerzos, corriendo juntos, en un mismo anhelo de vida, el mismo mortal azar.

La inteligencia, el instinto por un lado; por el otro la fuerza inconsciente y ciega de la naturaleza desquiciada.

Andrés sabía nadar, era robusto. Con las piernas, con el brazo que le quedaba libre, se empeñaba en avanzar, hacía frente a la corriente, le metía hombro, empujaba a su caballo cuya mole lo oprimía como si de intento el arroyo se lo echara encima.

El animal, medio ahogado, paradas las orejas, el hocico abierto, entrecortado el resuello, se debatía aturdido, agitaba jadeante sus patas en un galope imposible, resoplando de sorpresa y de terror al sentir que la tierra le faltaba.

Un instante, los peones que azorados seguían desde la orilla las angustiosas peripecias de aquel drama, pudieron esperar que Andrés, suspendido y como anclado por una amarra

---

[360] Francés. Paletó: especie de levita sin faldones.

invisible en el mismo medio del torrente, iba a lograr vencer por fin la resistencia del elemento[361].

Después de una última, desesperada y vana tentativa, el hombre y el animal exhaustos, extenuados, como cuerpos muertos se dejaron arrastrar rodando aguas abajo.

Vueltos de una primera sensación de espanto, intentaron los peones socorrer a Andrés.

Uno de ellos se azotó[362].

Menos feliz o menos hábil que el primero, al caer a lo hondo, soltó las riendas de su montura[363], fue llevado por el agua, varias veces se le vio en la superficie, desapareció otras tantas, allá, lejos, después... inada!...

Una esperanza quedaba al otro: enlazar a Andrés, ver si podía sacarlo así a la orilla.

Aunando la acción al pensamiento, sin perder un instante, armó[364], revoleó y tiró...

Inútilmente; el cuerpo se hundía en los remolinos, la distancia era mucha, la armada no alcanzaba.

A la altura de un brusco recodo del arroyo sin embargo, y cuando aquel hombre desalentado ya, tristemente se resignaba a ver morir ahogado a su patrón, arrojado éste fuera del cauce por el empuje mismo de las aguas, fue a chocar contra la costa y allí, en las ansias de la agonía, manoteando, acertó a enredar los dedos en una mata de juncos.

Largo rato permaneció así, desfalleciente, como muerto, adherido a la mata salvadora por la simple acción mecánica de sus músculos crispados.

Luego, recobrando a medias el sentido, con la conciencia vaga y confusa aún del peligro que corría, instintivamente y como a tientas, empezó a arrastrar el cuerpo entre los juncos, en un esfuerzo supremo, llegó a izarse hasta lo seco.

La noche entretanto había caído; una de esas noches de pampero, diáfana como una chapa de cristal en blanca y oscilante reverberación de las estrellas.

---

[361] 1.ª ed.: *la fuerza de éste.*
[362] Se tiró rápidamente al agua.
[363] 1.ª ed.: *soltó las riendas.*
[364] *Armar*: preparar el lazo para enlazar; *armada:* abertura corrediza del lazo.

Chorreando el agua de sus ropas y duro hasta los tuétanos de frío, se encontró Andrés separado de los otros por el arroyo, solo y a pie.

Ignorando el abnegado fin de uno de aquellos infelices, y el ardor, el ímprobo[365] empeño de su compañero por salvarlo, en un irreflexivo arranque, indignado, lo primero que cruzó por su cabeza fue volverse arroyo arriba, ponerse al habla con su gente y tratando a todos de cobardes y de mandrias, obligarlos a hacer lo que había hecho él...

¡Canallas, les enseñaría a ser hombres!...

Pero el temor de que alguno de ellos pereciera lo contuvo, la idea de que iba acaso a provocar la muerte estéril de un hombre, a sacrificar la vida de un semejante en aras de un sentimiento de venganza egoísta y ruin.

¿Qué auxilio podían prestarle, el carruaje, si es que conseguían pasarlo, un caballo?

¡Bah!, ¡tenía alientos todavía para irse a pie hasta la estancia, de nadie necesitaba, llegaría antes así!....

Agachado, divisando, miró atentamente en torno suyo, trató de orientarse por el curso del arroyo y, adivinando más bien el rumbo en que quedaba su casa, con ese tino único del criollo[366], resueltamente cortó campo.

Pero agudos sufrimientos lo atormentaban al andar, repentinas contracciones paralizaban el ejercicio de sus piernas.

Acompañados de una insoportable sensación de ardor en la epidermis, fuertes calambres[367] lo atacaban, le ganaban la cintura, las espaldas, el estómago, los brazos, los sentía hasta en la punta de los dedos.

Por momentos, retorcido todo entero de dolor, incapaz de dar un paso más, era obligado a detenerse.

Su ánimo no desmayaba sin embargo. Así que la violencia del espasmo había pasado y no obstante las matas espinosas, la paja brava y el cardo que le hacían pedazos los pies, redoblando sus esfuerzos, se volvía a poner en marcha.

---

[365] 1.ª ed.: *infructuoso.*
[366] 1.ª ed.: *ese tino admirable de los criollos.*
[367] 1.ª ed.: *los calambres.*

De pronto, a corta distancia de él, oyó el ruido de un cencerro. Debía ser una tropilla. Iba a poder hacerse de un caballo...

Guiado por el sonido se acercó. Era en efecto una de las tropillas de la estancia, habían dejado maneada la madrina.

Fácilmente, habiendo parado a mano un animal embozalado, hizo riendas del cabestro y montó en pelos.

Acaso sin ese azar providencial, desesperado y postrado al fin por la fatiga, habría concluido Andrés por dejarse morir en medio del campo con una maldición en los labios...

XXXI

Al tumulto de los ladridos, de esos ladridos ensañados y furiosos de los perros de campo cuando se acerca gente, los peones, desconfiando que algo extraordinario sucedía, se levantaron.

Varios bultos salieron, se asomaron de los ranchos, silenciosamente, entre la sombra, a ver...

Y mientras en la puerta de la habitación del mayordomo una luz aparecía, Andrés, rodeado de la jauría, como llevándose todo por delante, pasó de galope y fue a sujetar[368] en la misma entrada de su casa:

—¡Usted, señor! —exclamó, al reconocerlo, acercándose Villalba.

Y sorprendido de verlo así: ¿qué le ha pasado? —preguntó.

—Nada, qué me ha de pasar... que su gente es más amarga que los zapallos cimarrones[369], que me he azotado al arroyo y que me he salvado gracias a ramas...

—¿Pero, cómo?

—Eso, vaya y pregúnteles a ellos...

A ver —prosiguió, brutalmente, después de un corto instante de silencio—, qué está mirándolo a uno ahí con la boca abierta... muévase y abra, que no me encuentro dispuesto a pasar aquí la noche.

---

[368] Detener el caballo.
[369] Literalmente: «Su gente es más amarga que las calabazas silvestres.» Se trata aquí de un juego verbal donde *amarga* ha de tomarse en el sentido de «cobarde, floja, sin carácter» que encontramos ya en el cap. IX.

Sin atinar en su asombro a explicarse lo que todo aquello significaba, el mayordomo azorado corrió a su casa, trajo un manojo de llaves y abrió:

—Hágame encender luz arriba y, usted, tenga la bondad de esperarme —díjole Andrés al entrar.

Subió un momento después.

En cinco minutos[370] se cambió de ropa y bajó de nuevo al comedor donde Villalba lo aguardaba.

—¿Qué novedades tiene que comunicarme? —inquirió de éste.

La hora tanto y tan ardientemente anhelada por él había llegado. Le sería dado saber por fin.

Y sin embargo, allí, en aquel instante, pendiente de las palabras de aquel hombre, cuyos labios iban a rasgar el velo de sus angustiosas dudas, una extraña cobardía, un miedo, una aprensión ajena al duro temple de su alma, bruscamente lo acometió.

Habría querido, contra las impulsiones de su propia voluntad, persistir en su cruel incertidumbre, prolongar una situación que mirara antes como un tormento insoportable, diferir, dejar para más tarde, postergar al día siguiente, indefinidamente, acaso, las revelaciones de las que hacía depender ahora su suerte, su porvenir, su vida entera y que acababa de provocar con su pregunta.

Y la voz, al formularla, le temblaba y sentía y oía al hablar los latidos vertiginosos de su corazón, como un redoble en el pecho, la trepidación de una máquina lanzada a todo vapor.

Sencillamente el otro, en su tranquilidad de empleado viejo, acostumbrado a rendir cuenta del ejercicio de sus funciones, empezó a ocuparse de la estancia, de la marcha del establecimiento, del estado de las haciendas y de los campos.

La parición de otoño en las ovejas dejaba algo que desear; tenía señalados unos ocho mil corderos, apenas; pero había vuelto a echar los padres en abril, estando en ese entonces el carneraje[371] alentado todo y con ganas de trabajar, lo que le hacía esperar un resultado mejor para la primavera.

---

[370] 1.ª ed.: *Inquieto y agitado, en cinco minutos...*
[371] Conjunto de carneros.

El frío del otro invierno los había atrasado muy mucho[372] en octubre.

Lo mismo la del vacuno, se anunciaba bien por hallarse los campos muy lindos y la hacienda gorda.

Algunas vacas andaban ya con ternerito.

El creía que, salvo el caso de un temporal, Santa Rosa o San Francisco[373], con la ayuda de Dios el año iba a ser bueno.

Paseándose intranquilo, deteniéndose[374] por momentos frente a la chimenea, los ojos en las claras llamaradas del fuego que acababa de encender Villalba, Andrés sumido en la preocupación exclusiva y profunda de su espíritu, escuchaba al empleado sin atender, sin comprender lo que éste le decía.

Las palabras llegaban hasta él en la acción puramente maquinal de sus sentidos. Iban a herir su tímpano como un ruido indiferente y vago, como suena en el oído el tumulto confuso de una calle durante las horas de agitación y de labor.

Y sabiendo que trataba Villalba de la estancia, que se ocupaba en hablar de los intereses cuya guarda estaba a éste encomendada, mal habría podido decir en el estado de obsesión moral que lo embargaba, si era favorable o adverso lo que su mayordomo le anunciaba.

Bruscamente, interrumpiéndolo:

—¿Y, nada nuevo entre su gente? —oyó con asombro que él mismo a pesar suyo preguntaba, como si saliera su voz de lo profundo de un pozo, como si una fuerza prodigiosa, alguien en él que no era él, ciega y fatalmente lo impulsara.

Un instante, recapacitando, tratando de recordar, el otro guardó silencio:

—Nada, señor; no ha habido cambio alguno en el personal. Todos, interesados[375] y mensuales[376], siguen prestando como antes sus servicios.

---

[372] «Al presente, *muy mucho* [forma enfática de *mucho*] constituye una supervivencia rústica de uso general que ocasionalmente se halla en el estilo literario tanto de España como de América.» (Kany.)

[373] Los temporales de San Francisco (4 de octubre) y, sobre todo, de Santa Rosa (30 de agosto) suelen ser violentos.

[374] 1.ª ed.: *parado*.

[375] Los peones de estancia que trabajan a destajo.

[376] Aquellos que reciben un sueldo mensual fijo.

Acaso no era tiempo todavía...

Mentalmente contó Andrés los meses, los días, recordó la hora de siesta de una de esas tardes ardientes de noviembre, el año anterior, en el puesto, cuando por primera vez tuvo a Donata.

Estaban, ahora, a fines de agosto, sin embargo...

Y las ideas se agolparon en su mente; mil suposiciones diversas y contrarias.

¿Le había mentido por ventura, se había fingido encinta de él, ella misma al anunciárselo se equivocaba, como se equivocan las mujeres en presencia de ese eterno misterio de la fecundación?

¿Alarmada, por temor al padre, algo insensato había ideado, alguna yerba, alguna droga, algún brebaje, había tomado haciéndose abortar?

Una china vieja vivía allí cerca, fuera del alambrado, una especie de partera o curandera; nada imposible que hubiese ido a verla Donata, que en su estúpida ignorancia, hubiese cometido por consejo de aquélla algún monstruoso atentado.

¿O era que Villalba, preocupado sólo de la cuestión de dinero, de hablar de ovejas y de vacas, descuidaba, omitía decirle, lo que se hallaba a mil leguas de pensar, aquel imbécil, que pudiera interesarle?

Perplejo, sin saber qué creer ni qué pensar, se extraviaban sus ideas, su cabeza se perdía en un dédalo de conjeturas, y experimentando entonces la necesidad de quedarse solo, despidió a su mayordomo.

Pero éste, al retirarse y cerca ya de la puerta, con el gesto de quien de pronto recuerda algo, se volvió:

—¡Ah!, señor —exclamó, olvidaba decirle que ño Regino se nos va.

—¿Por qué? —tuvo apenas fuerza para articular Andrés estremecido, sintiendo que lo que aún le quedaba de sangre en el cuerpo afluía como una oleada a su cerebro.

—Porque anda en la mala el pobre.

La hija hizo una trastada; se la embarazaron, libró ahora días[377] y ha muerto de sobreparto.

---

[377] Hace días.

Un golpe de maza asestado a traición no habría hecho en Andrés el efecto de estas palabras.

Estupefacto, fulo[378], inmóvil, toda corriente de vida pareció haberse agotado en su organismo.

Sin ni siquiera llegar a sospecharlo, el mayordomo tranquilamente siguió hablando:

—Desde entonces anda sin sombra[379] el viejo; usted sabe señor que es hombre aseado en sus cosas... El bochorno por un lado y por el otro, el mucho apego que le tenía a la muchacha...

Quiere salir del pago[380]; dice que aquí no se resuelve a estar y que se va para afuera con la nietita.

—¿Vive, entonces?

—¿La criatura? Sí, señor: Ña Felipa, la partera, es quien la tiene desde que murió la madre.

—¿Y no sabe ño Regino quién es el padre? —interrogó Andrés, vibrando la voz en su garganta, encendiéndosele el rostro, relampagueándole los ojos en un cambio repentino, algo como una resurrección instantánea a la plenitud de la existencia.

—No señor, creo que lo ignora, que nunca se lo quiso decir la hija.

Algún cachafaz[381], algún diablo, a la cuenta... No ha de andar lejos que sea el mismo peoncito que tenía.

Y concluyendo de formular su pensamiento:

Si éstas patrón son como hacienda —agregó Villalba con gesto de hombre convencido—, conforme cualquiera las atropella, ahí no más se echan.

—¡El padre de esa criatura soy yo, sépalo usted, sépanlo todos, imbéciles! —vociferó Andrés fuera de sí, diciendo a gritos su paternidad, como haciendo alarde de proclamarla a voz en cuello y como si al desvanecer así las sombras acumuladas en torno de la cuna de su hija, hubiese querido a la vez acallar de

---

[378] Azorado, atónito.
[379] Está muy angustiado.
[380] Sinónimo de *terruño:* lugar donde uno ha nacido, se ha criado o vive desde hace tiempo.
[381] Pillo, sinvergüenza.

un golpe las murmuraciones de los otros, poner una mordaza a aquella chusma.

Mañana mismo, temprano, al amanecer, mande usted atar mi carruaje y que inmediatamente me traigan a mi hija en él.

Conmovido por el intenso sacudimiento que acababa de sufrir, vaga, extraviada la mirada, los músculos contraídos, los labios tiesos, desencajado el semblante, con el gesto anonadado de quien ha visto caer un rayo junto a él, largo rato se dejó estar Andrés de pie en el medio del cuarto, una vez que hubo salido el mayordomo.

Insensiblemente se dirigió luego a la escalera y subió.

Un temblor lo estremeció, una repentina sensación de chucho[382] al penetrar en la atmósfera glacial de su aposento.

Tiritaba friolento, helado el cuerpo, mientras como al calor de una hoguera sentía que se le abrasaba la cabeza.

Volvió los ojos hacia el lado de la estufa, se acercó, se agachó, en un ademán de autómata dio fuego a la leña que en aquella había sido preparada y, de nuevo puesto en pie, empezó a andar con paso desigual y vacilante por la pieza.

Iba y venía encogiéndose, doblado en dos, dando diente contra diente. Se tanteaba nerviosamente el pecho, las espaldas, la cintura, paseaba sus dedos[383] sobre los brazos en cruz, se llevaba las manos a la frente, se la apretaba como queriendo impedir que saltara en mil pedazos, hachada por el dolor.

Lo aturdía un zumbido ensordecedor en las orejas, el repique simultáneo de mil campanas, las ideas se revolvían en su cabeza como barridas por un soplo de remolino: su hija, el arroyo, Donata, el frío, todo se agitaba, se mezclaba, fugaz, informe, confundido, sin que, en la inconsciencia que poco a poco lo invadía, atinara Andrés a abarcar una sola noción distinta de los hechos.

Al fin, semejante a un hombre que, agobiado bajo el peso de la carga que sus espaldas no pueden resistir, tropieza y rueda por el suelo, tambaleando, fue a dar contra la cama y cayó abrumado sobre ella.

---

[382] Escalofríos y fiebre propios del paludismo.
[383] 1.ª ed.: *paseaba sus dedos agitados y febricientes.*

Incapaz ya de pensar, de sentir, de sufrir, inerte, un sueño de plomo cerró sus ojos.

Y como si la frágil corteza de la carne, pequeña para tanto, débil para resistir la violencia de tamaños sacudimientos, se hubiera roto en él, como si la tremenda crisis por que acababa de pasar Andrés, sus angustias, sus quebrantos, su zozobra, hubiesen determinado un desequilibrio mortal en su organismo, la vida sensacional pareció abolida de aquel cuerpo; habríase dicho, en las contracciones repentinas y fugaces de su musculatura, que apenas la otra, la vegetativa persistía, tal cual persiste en el cadáver de los ajusticiados largo rato aún después de la ejecución.

XXXII[384]

El sol de la mañana siguiente, alto ya al entrar por la ventana, dando de lleno sobre la cara de Andrés, lo despertó.

Sobresaltado, incorporándose, volvió éste una vaga mirada en torno suyo.

¿Dónde estaba, qué hacía allí, cómo se encontraba entre aquellas cuatro paredes que contemplaba sorprendido, cuyo interior desconocía en el vivo golpe de luz que lastimaba sus ojos?

Oprimiéndose la sien con las dos manos, trató de recordar, de coordinar sus pensamientos, de penetrar en un esfuerzo, en una brusca tensión intelectual, aquel enigma.

Pero un ruido extraño llegó hasta él; desapacible, displicente, semejante al rechino lejano de un eje de carreta.

De pronto, comprendiendo, recobrando como por encanto una entera conciencia de la realidad, saltó de la cama, abrió la puerta, bajó corriendo la escalera y penetró en el comedor donde una mujer vieja, amulatada, vestida de trapos chillones de zaraza, caminaba de un lado a otro sacudiendo un envoltorio entre sus brazos:

—Aquí tiene a su nena, señor —exclamó al ver entrar a Andrés y adelantándose a él y cuadrándosele por delante—:

---

[384] En este capítulo, las intervenciones de la partera son reveladoras de la voluntad de Cambaceres de restituir —a nivel de la morfología, la sintaxis y la fonética— el habla rural, del mismo modo que José Hernández lo hizo en su recreación del gaucho. Por este motivo hemos transcrito literalmente el texto original. Conviene señalar sin embargo que, en los casos de yeísmo o de seseo, este mimetismo lingüístico alcanza únicamente en *Sin rumbo* el habla de la gente de pueblo, por más común que sea el fenómeno en otras clases sociales.

¿qué le parece —agregó con gesto alegre y complacido, mientras le ponía bajo los ojos a la débil criatura—, es alhaja o no la mocita?

¡Eso era su hija, aquel paquete informe de carne hinchada, amoratada, la abertura que miraba allí, en el medio, redonda, húmeda, encarnada como la boca de una llaga, era una boca, unos ojos aquellas dos placas turbias, opacas, incoloras, sin expresión ni vida, una voz, un llanto humano, aquel maullido!...

Con la expresión en el semblante, mezcla de asombro, de tristeza y confusión, de quien de pronto sufre un hondo desencanto Andrés contempló a su hija.

Hubo una lucha en él. Una curiosidad viva, irresistible, una invencible atracción lo fascinaba, lo empujaba a mirar a pesar suyo, sin poder dejar de hacerlo, a tener clavados sus dos ojos sobre aquel cuerpo de recién nacida, raquítico y miserable, mientras, instintivamente, una secreta repugnancia, un sentimiento de inconfesa repulsión lo retraía.

Vencido al fin, subyugado por la fuerza de la sangre, acercó su rostro al de la niñita y, lloroso, enternecido, dándole un largo beso en la frente, «¡mi hija, mi hijita!...» murmuró con un mundo de caricias en la voz. —Venga, señora, suba conmigo —dijo después a la partera, bruscamente[385], pasándose el pañuelo por los ojos.

Quiso desde luego instalar a su hijita, darle su propio cuarto, su cama, rodearla de todo el bienestar de que él gozaba, con un apuro, con una instancia aprensiva y solícita de padre inquieto ya por la salud de sus hijos, temeroso de algún mal, de alguna enfermedad, de algún peligro, de uno de esos mil diversos accidentes que amenazan de continuo la vida de los niños.

El mismo encendió la chimenea, ¡pobrecita!, el frío podía haberle hecho daño..., abrió los armarios, puso a disposición de la partera toda la ropa.

¿Qué otra cosa era menester, qué más se necesitaba?

En su completa inexperiencia de hombre, de hombre soltero y libre, desligado de todo vínculo de familia, ofuscado se azoraba, no sabía, nada se le ocurría.

---

[385] 1.ª ed.: Falta el *bruscamente*.

¿Qué entendía de muchachos él? Jamás se había preocupado de esas historias...

Y le entraba un afán, una aflicción, y sentía un sordo despecho contra él mismo, como si hubiese sido un delito su ignorancia.

Pero, muerta Donata, pensó, era indispensable un ama, tratar de encontrarla por allí, en último caso, mandarla traer de Buenos Aires.

¿Cómo aquella infeliz vivía sin madre?

Se lo dijo a la partera:

—No se aflija, señor, pierda cuidao que no se ha de morir de la nesesidad —repuso ésta.

—Ya voy viendo —agregó familiarmente, con un aire de majestuosa suficiencia—, que no es muy prático usté...

Si estos angelitos, patrón, de risién nasidos, son como los chingolos[386], con una nada se mantienen...

¡Cuándo nunca es bueno, tampoco, en los prinsipios, darles otra cosa que agüita tibia, hasta que se limpée bien la máquina!

Y a chupón[387] no más lo voy criando dende que fayesió la finada, ánima bendita, ¡Dios la haiga perdonao!

Había acostado a la chiquita sobre el sofá; se ocupaba en acomodar el cuarto, mudó las sábanas, echó mano de un alto de servilletas para pañales y mientras atareada iba y venía, con esa locuacidad criolla, peculiar a las comadres de campo; seguía hablando:

—Acordaron tarde en yamarme. Regino no más tuvo la culpa; estaba como abombao[388] el hombre...

Conforme me costié[389] en la noche de mi casa, ya vide que íbamos a andar mal. La criatura venía muy enteramente demorosa[390].

---

[386] Pájaro pequeño, de unos 12-15 centímetros de largo, de dorso pardo veteado de negro, garganta y vientre blancuzcos, cabeza gris con un pequeño copete. Su canto es melodioso.

[387] Biberón.

[388] *Abombado:* aturdido, desconcertado.

[389] *Costearse:* Trasladarse a algún lugar trabajosamente.

[390] Demorada, morosa.

Ahí mesmo sebé un mate de mansaniya[391], le di una frotación de asaite por el empaine a la enferma y un sahumerio de asucar ardida en los bajos.

Pero, de ande, ¡ni por ésas!... los pujos eran al ñudo[392], la finada, que en pas descanse, crujiendo como arpa vieja, pedía a gritos, por la virgen, que le sacaran aqueyo.

Maliseando que estuviese la chica atravesada, porque a mí señor naides me va a enseñar lo que son estos trajines —¡no ve que he lidiao tantísimo en mi vida!— le acomodé a la paciente un poncho cruzao por las caderas y comensé a sacudirla juerte, boca arriba en la cama.

¡Dejuro[393], eso había sido no más!

A los tirones, se enderesó el angelito y ya asomó la moyera[394] y ya se refaló[394] y ya lo resebí también y le cabecié el ombligo[395]...

El llanto de la muchachita, un lamento desesperado y continuo, algo como el balido afanoso de los corderos guachos[396], interrumpió a ña Felipa en su relato:

—Venga mi sol, no yore —dijo ésta acercándose al sofá y alzando a la niñita[397].

Sobre sus dos manos abiertas la acostó de boca, empezó a hamacarla, a subirla y a bajarla con el movimiento de quien tantea el peso de una cosa, sin por eso conseguir que la criatura se aquietara:

—¿Qué tendrá? —interrogó Andrés alarmado, siguiendo con afán las manipulaciones de la curandera.

—¿Estará enferma, le parece?

—¡Qué enferma va estar! Es flato.

Vea, patrón, me ha de haser trair unas hojitas de hinojo, de ahí de la quinta no más; un poco de leche y un calentador.

---

[391] Preparé una infusión de manzanilla.
[392] En balde, inútilmente.
[393] Por cierto, ciertamente.
[394] Resbaló.
[395] Le corté y ligué el cordón umbilical.
[396] Huérfanos.
[397] 1.ª ed.: *y alzándola.*

Así que tuvo todo a mano y que hubo preparado la bebida, tomó un frasco vacío de agua florida[398] y la echó en él.

Ávidamente la niñita, entonces, adhirió sus labios al rollo de trapo que, en la forma de un pezón de mujer, cerraba la boca del frasco y, pocos momentos después, calmado su apetito, con la inconsciencia de las flores cuando hartas de luz cierran su cáliz al declinar el sol, un sueño profundo la embargaba.

—Pues, como le iba disiendo, señor —prosiguió ña Felipa reanudando el hilo de su narración—, aparesía que con el favor de Dios y la Virgen íbamos a salir de transes al fin.

Pero lo que acontesió jué que la finada, de puro inorante la pobre, dende que no estaba güena toavía, se apió descalsa una ocasión, con lisensia de usted, para dir[399] a haser del cuerpo una deligensia y como que era consiguiente, ahí mesmo la agarró un pasmo[400].

En balde fue que los dos con ño Regino la acostásemos a ver de que sudara en la cama, en balde unos untos de asaite caliente que le dimos, y hasta la mesma reís del quiebrarao[401], que no hay como eso patrón pa las alsaduras de sangre[402].

Todo, todito jué en balde; Dios no quiso que viviera y fenesió a los tres días.

—¿Por qué no llamaron médico? No está tan lejos el pueblo, bien podía haberlo hecho ño Regino, en lugar de dejar morir a su hija como un perro...

—¡Médico, dise, y pa qué, cuándo estábamos por remediar nada con que se ayegara un dotor! —exclamó entonces ña Felipa, sensiblemente lastimada en su amor propio por la pregunta de Andrés.

---

[398] Especie de agua de Colonia, mezcla de agua, alcohol y esencias perfumadas.

[399] Contracción de *de ir,* llegando el nuevo vocablo a sustituirse a la forma correcta *ir.*

[400] «Los paisanos y curanderos llaman así a cualquier enfermedad causada por la inflamación de los tejidos subcutáneos. Se le suele atribuir al frío.» (Saubidet.)

[401] *Quiebra arado:* «Yerba perenne y común, cuyas raíces no se dejan arrancar fácilmente. Tanto ella como su raíz se usan como vulnerario y se le atribuyen propiedades laxantes y diuréticas.» (Saubidet.)

[402] Accesos de fiebre.

Y, como hablando sola:

—¡Güenos alarifes[403] son los médicos; pa saquiarlo al pobre y mandarlo más antes a la sepoltura es pa lo que sirven, masones[404], condenaos!

¡Y en manos de aquella bestia estaba su hija, y él, el padre, lo toleraría, se conformaría a dejarla así, expuesta a que, lejos de todo centro de recurso y entregada a los cuidados de una vieja ignorante y bruta, el día menos pensado se la llevara Dios!

Era necesario impedirlo a todo trance, sacar de allí a la chiquilina...

Se la llevaría, se volvería con ella a Buenos Aires, donde había médicos siquiera, y donde fácil le sería encontrar quien se encargara de cuidarla.

De pronto, recordó Andrés a la tía Pepa, una parienta suya, una hermana de la madre, que había manifestado siempre tener por él el más profundo cariño; ese cariño de la mujer vieja y soltera que no pudiendo derramarse sobre la cabeza del hijo, cae de rechazo en los sobrinos.

---

[403] Pillos, pícaros.
[404] Esta diatriba refleja, más allá del recelo de la vieja partera hacia los francmasones, vistos ahí como herejes, o los médicos, el oscurantismo y el atraso que padecía la provincia argentina, abandonada en el plano socio-cultural por los políticos capitalinos.

Segunda parte

XXXIII

Dos años después aproximadamente, en uno de esos días blancos de primavera, cuando la luz del sol se derrama como un inmenso riego y la savia fermenta en las fibras de las plantas, y en ese otro parto, al fin de esa otra gestación, revientan las yemas de los brotes, Andrés, recostado en un sillón[405], junto a la entrada de la casa, acababa de cerrar el libro cuyas hojas recorría.

Sus grandes ojos azules no mostraban ya el resplandor triste y sombrío que, cual un reflejo fiel del estado de su alma los cruzara en otro tiempo alterando la ingénita expresión de su mirada y, como al través de un agua muerta se ve el fondo, en la serena transparencia de aquellos ojos habría podido penetrarse el misterio encerrado en aquella alma.

Su hija se había acercado, agitada, ella, nerviosa, conmovida, ofreciendo en su actitud un singular contraste con la inalterada calma de su padre.

En su carita trigueña de higa de tuna perfecta como un perfil de Meissonier, sus ojos brillaban encendidos por la cólera, unos ojos grandes y azules también, de un azul de zafiro en la engarzadura negra de las pestañas:

—¡Papá, papá mío!

—Mi hija querida, ¿qué le pasa, qué dice usted?

Era una triste y lamentable historia.

Mariquita —su juguete predilecto, su muñeca— tenía frío; ella la había acostado en la cama; estaba haciendo «nono»[406]

---

[405] 1.ª ed.: *recostado en el jardín de su estancia.*
[406] Estaba durmiendo.

y no estaba sucia, era mentira, estaba limpia; pero Tiyita decía que estaba sucia, y era «mu» mala Tiyita, y la quería lavar con jabón a la pobre Mariquita, y ella no quería y Tiyita sí quería, y ella se había enojado y le había dicho a Tiyita que ¡no y no y no!... y venía a contarle a Papá para que también Papá se enojara y le hiciera «nana» a Tiyita con el látigo del caballo de Papá...

Todo un cuadro, una escena, una parodia de humanas tribulaciones, una trágica explosión de precoz maternidad, un proceso intentado contra la tía Pepa por sevicias y malos tratamientos a la menor de cautchuc.

Andrés entretanto, embelesado, no se cansaba de contemplar a la niñita.

Su hija, su Andrea en quien todo lo cifraba, su hija, cuya sola aparición, cuyo solo nacimiento había bastado a revelarle, a él viejo y descreído, a él cansado de vivir, el secreto de otra vida, de otra existencia desconocida y nueva: esa en la que también se sufre porque el destino es sufrir, pero se hace y se deja sufriendo y se goza dejando.

Ella, la dulce criatura que le había enseñado a amar y a perdonar, a no ver sino lo bueno en los demás, a buscar sólo lo honrado y lo puro de los otros, como buscan los pulmones el oxígeno del aire.

Ella, en fin, su genio bienhechor, la hechicera cuyo mágico poder de encantamiento había tenido el prodigioso don de transformarlo, de convertir sus odios en un amor infinito, amor a los hombres, a los animales, a las cosas, a él, al mundo, ¡a todo!

—Venga mi ricura —exclamó por fin levantándose al ver que Andrea, llenos los ojos de lágrimas y la boca de pucheros, esperaba acongojada y ansiosa el fallo reparador de la justicia.

Y alzándola en sus brazos y cubriéndola de besos:

—¡Tiene muchísima razón usted; es una pícara su tía, venga, vamos a ponernos furiosos con ella!

En vano alegaba la tía Pepa el deplorable y lastimoso estado en que yacía Mariquita, overa[407] de hollín por habérsele

---

[407] Dícese comúnmente del pelaje blanco con manchas de otro color.

ocurrido a su dueña meterla en el caño de la chimenea, al jugar con ella a las escondidas; en vano exhortaba al padre a no ceder, redoblaba sus esfuerzos en encarecer las *negras* consecuencias de un acto de criminal debilidad; en vano, convertido a la razón por la sana dialéctica de la tía, intentó Andrés revestirse de energía y amonestar a la niñita.

Fue necesario, al fin, que humillara la cerviz ante el poder soberano, que afectara reñir a la culpable, que fingiese castigarla, que solemnemente jurara ésta no atentar en lo futuro contra la persona sagrada de la muñeca, protestando renunciar a su proyecto, el más bárbaro suplicio en el sentir de Andrea, el refinamiento más perverso de crueldad que pudiera concebir la mente humana. ¡Si lo sabría ella, infeliz!... ¡todas las mañanas la lavaban!

—Mal hecho, Andrés, muy mal hecho —insistía la tía Pepa, con esa rara sensatez de las mujeres para las cosas pequeñas de la vida—, ¡ya te pesará después, cuando sea grande!

Acuérdate de lo que te digo: esta criatura va a ser víctima de su carácter, desgraciada por su genio, y tú y nadie más que tú tendrá la culpa[408].

—Pero, ¡si es tan buena mi pobre hija!

—No sostengo yo lo contrario, es cierto, tiene un corazón de ángel la pobrecita, lo que no impide que estés haciendo de ella una muchachita insoportable de mal criada.

—¿Qué, quiere que la rete, que la maltrate, que sea un tirano con ella?

—¡Dios me libre, angelito!, no digo eso, sino que por el bien mismo de tu hijita, haces mal en prestarte ciegamente a todos sus caprichos y en consentirla así.

—¡Mire qué noticia, como si no lo supiera uno!...

¡Sabe que es magnífica usted tía! Asegúremela contra incendios, garánteme que no se me va a morir y ya verá como la enderezo yo, como hasta capaz soy de bajarle los calzones y de pegarle una soba en el culito....

Pero mientras eso no suceda y mi hija sea mortal y me vea expuesto yo a perderla, se lo he dicho muchas veces y se lo re-

---

[408] 1.ª ed.: *será el culpable.*

pito ahora: pedirme que use de rigor con ella es pedirme algo imposible.

¡Déjela que haga y deshaga, mi tía vieja, no sea mala! —decía mimosamente Andrés, buscando atraerse a la tía Pepa—, que tire y rompa, y tizne a la muñeca y a Vd y a mí también, si se le antoja, que todo eso poco importa.

¡Déjela que haga su gusto en vida mientras pueda, déjela gozar que para sufrir le sobra tiempo!... —acababa por exclamar con una expresión de dolorosa y honda melancolía en el semblante.

XXXIV

Y era eso, en medio de la felicidad de que gozaba, una alarma, una sorda aprensión, un miedo extraño, un vago y confuso terror al afrontar con la mente el porvenir, las mil vicisitudes del destino.

Pensaba en la triste condición de la mujer, marcada al nacer por el dedo de la fatalidad, débil de espíritu y de cuerpo, inferior al hombre en la escala de los seres, dominada por él, relegada por la esencia misma de su naturaleza al segundo plan de la existencia.

Y los viejos oráculos de Andrés, sus grandes maestros, Voltaire[409], Rousseau[410], Buchner[411], Schopenhauer[412], lle-

---

[409] Escritor francés (1694-1778), autor de poesías, obras teatrales, cuentos, novelas cortas y ensayos históricos, así como de un *Diccionario filosófico*. Dotado de una cultura enciclopédica y de un estilo mordaz de panfletario, se caracteriza por su lucha incansable contra el despotismo y el fanatismo clerical y, de manera general, por sus ideas racionalistas y liberales (el «espíritu voltairiano»). Representa la expresión más sintética del Siglo de las Luces y llegó a ser, a lo largo del siglo XIX, el ídolo de la burguesía liberal anticlerical.

[410] Jean-Jacques Rousseau (1712-1778), escritor suizo-francés, autor de óperas, novelas, libros de confesiones y tratados políticos o pedagógicos. Precursor del romanticismo, se vale de una prosa armoniosa y de una elocuencia a menudo lírica para oponer los derechos de la sensibilidad al imperio de la razón y las virtudes del campo a la corrupción de la ciudad. El ideal de libertad e igualdad presente en su *Contrato social* (1762) inspiró la Declaración de los derechos humanos.

[411] Ludwig Buchner, filósofo alemán (1824-1899), publicó *Fuerza y materia* (1855), un libro en el que afirma que no hay más realidad que la material, lo cual implicaba la negación de Dios y la adopción de las teorías de Darwin sobre el origen y la evolución de las especies. El libro tuvo en su momento (1855) una gran resonancia y lo clasificó entre los filósofos materialistas.

[412] Ya se habló de Schopenhauer en el capítulo III. La asociación de los cuatro escritores (dos literatos y dos filósofos) puede, a primera vista, parecer

gaban de nuevo a posesionarse de su espíritu, a reaccionar en él bajo la influencia de su antiguo escepticismo, del que no le había sido dado emanciparse por completo, del que algo había quedado en el fondo de su ser, como algo, algún vestigio queda siempre de todas las dolencias que labran profundamente el organismo.

¿Qué suerte correría su pobre Andrea, pagaría su deuda sufriendo ella también?

Su pureza, su gracia, su hermosura, todos esos pasajeros bienes de la edad florida, con que la naturaleza parece complacerse en enriquecer a la mujer a expensas de todo el resto de su vida, ¿de qué le servirían?

¿Algún ser digno, acreedor a poseerlos, algún hombre leal, honrado, bueno, iría a cruzarse por acaso en mitad de su camino?

La larga y pesada cadena de padecimientos que constituyen la herencia de las madres, los dolores salvajes del parto, los azarosos cuidados de la infancia, ¿tendrían un premio por ventura, una justa y merecida recompensa en la consideración y el afecto del marido, en el cariño y el respeto de los hijos?

Y si, movida por el genio egoísta y avaro de la especie, dispuesto siempre a posponer el bien del individuo al logro de sus fines, ciega y fatalmente se dejara arrebatar por la pasión, llegara a darse toda entera sin condicionas ni reservas, ¿qué sería de ella después, qué quedaría de su grande, de su noble y sublime sacrificio, tarde o temprano desamparada y sola, condenada a apurar la hiel de los desengaños, abandonada por esa fuerza inexorable y cruel?

Nada; ni aun la satisfacción de un apetito carnal torpe y grosero.

---

arbitraria. No lo es, sin embargo. Se trata de parejas antinómicas que representan, cada una, dos polos opuestos del pensamiento. El pesimismo de Voltaire, palpable en su *Cándido* (1759), se opone así al optimismo de Rousseau, comprobable en toda su obra, y cuya idea central es que el hombre era bueno y feliz por naturaleza pero que la sociedad lo ha vuelto malo y desgraciado; por su parte, el materialismo de Buchner contrasta con el idealismo escéptico de Schopenhauer. Los cuatro tenían sin embargo un punto en común: la preocupación humanista y existencial.

Pero, ¿dependía de él que así no fuera, estaba en su mano el evitarlo, la educación, el ejemplo algo importaban, el tierno y solícito interés, la prédica amorosa y constante de los padres, tenían virtud bastante a contrariar la influencia misteriosa de leyes eternas y fatales?

No. Antes que los intereses aislados y transitorios de sus miembros, estaba el interés absoluto de la especie, su derecho primordial a conservarse, su voluntad inquebrantable de existir, netamente acusada en el móvil inconsciente y secreto de las pasiones humanas, en el ascendiente irresistible de la juventud y la belleza, armas supremas de defensa en la sempiterna lucha de la naturaleza por la vida.

¿De dónde, pues, esas teorías brutales[413] y monstruosas, esa titulada moral del libre arbitrio, esa pretendida traición de la mujer a una fe que no había debido, que no había podido jurar, cómo, con qué sombra o apariencia de razón declararla responsable de culpas que no eran tales y que, aun cuando lo fuesen, no eran suyas, por qué hacerla igual al hombre, por qué atribuirle derechos que no era apta a ejercitar, por qué imponerle obligaciones cuya carga la agobiaban?

La limitación estrecha de sus facultades, los escasos alcances de su inteligencia incapaz de penetrar en el dominio profundo de la ciencia, rebelde a las concepciones sublimes de las artes, la pobreza de su ser moral, refractario a todas las altas nociones de justicia y de deber, el aspecto mismo de su cuerpo, su falta de nervio y de vigor, la molicie de sus formas, la delicadeza de sus líneas, la suavidad de su piel, la morbidez de su carne, ¿no revelaban claramente su destino, la misión que la naturaleza le había dado, no estaban diciendo a gritos que era un ser consagrado al amor esencialmente, casi un simple instrumento de placer, creado en vista de la propagación sucesiva y creciente de la especie?

¡Ah!, cuánto más sensatos y más sabios eran los pueblos del Oriente, cuánto mejor, más llevadera la suerte de la mujer bajo esas leyes, traducción fiel de las leyes naturales!

---

[413] 1.ª ed.: *estúpidas.*

Libres de la carga de su propia libertad, sometidas al hombre ciegamente, dedicadas sólo a la crianza de sus hijos, a las tareas familiares del hogar, su intervención en las cosas del mundo no llegaba más allá, su vida entera se concretaba al espacio encerrado entre los muros impenetrables del harén, y por eso precisamente eran menos desgraciadas, hallaban cómo cumplir su destino único en la tierra, tenían un dueño, un amo, un señor encargado de velar por ellas, dispuesto siempre a protegerlas.

Y, sinceramente, llegaba Andrés hasta hacer con Schopenhauer una calurosa apología, una defensa ardiente de la poligamia como institución humana, a encarecer su bondad, a suprimir con su auxilio una inmensa parte de los males inveterados en el organismo de las naciones cristianas.

La prostitución, esa asquerosa llaga del cuerpo social; la ilegitimidad de los hijos, esa irritante injusticia; el celibato de la mujer, esa absurda esterilización de fuerzas en las clases superiores, esa inhumana condena al más bárbaro de los presidios en las clases proletarias: cientos de miles de infelices desheredadas de la suerte, obligadas a arrastrar, para ellas y sus bastardos, una vida miserable de privaciones y trabajos.

Insensiblemente se dejaba luego llevar en el vuelo de sus ideas, se transportaba con el pensamiento al sagrario de los hogares musulmanes, invocaba el testimonio unánime de las mujeres europeas que habían sido admitidas a penetrar en esas moradas encantadas del amor sensual, cuya descripción hacía soñar con el paraíso de Mahoma[414].

Él mismo recordaba haberse sentido extrañamente impresionado al contemplar una noche a una de las mujeres del Khedive[415].

Era en el teatro del Cairo; ocupaba un asiento de orquesta, sobre el proscenio.

De pronto, oyó un rumor sordo y confuso, un prolongado

---

[414] Fundador de la religión musulmana (570-632). Su mensaje, recogido en el Corán, deja vislumbrar a los fieles la perspectiva del paraíso de Alá, un paraíso poblado de mujeres bellísimas, las *huríes*.

[415] Jedive, el virrey de Egipto.

frou-frou[416] de vestidos de mujer. Dio vuelta y, entre las sombras de una fila[417] de palos enrejados, creyó ver como grupos de espectros blancos que se agitaban.

La curiosidad lo llevó naturalmente a dirigir el anteojo hacia ese lado, alcanzando a distinguir entonces en el primer *avant-scène*[418] de la derecha, cerca de él, las formas de una espléndida mujer.

Era joven, alta, blanca, de ojos negros[419]; en el pelo, en el cuello, en las orejas, llevaba gruesas piedras de brillantes, y de la majestad serena y suave de su rostro, parecía irradiar como una luz de luna...

¡Quién sabe si la dicha, si es que dicha había en vivir, no estaba allí!...

¡Quién sabe si no habría valido más para su Andrea ver la luz en ese suelo, bajo la influencia de esas costumbres, al amparo de esas leyes!...

¡Quién sabe!...

El vano empeño del hombre por descifrar la incógnita de su existencia, ese escollo inconmovible y mudo ante el cual está escrito que ha de estrellarse la inteligencia humana; su estéril, su eterna lucha contra lo imposible, se renovaba entonces en Andrés, y, en el inmenso y prolongado esfuerzo, enardecido, afanoso por saber, desesperado de ignorar, su cabeza se perturbaba, sus ideas, como las ideas de un loco, se agitaban sin orden ni hilación, se entrecruzaban dolorosas como chuzas[420] que le clavaran en la sien.

Maldecía en esas horas de ofuscación y de extravío, renegaba de su suerte que lo había hecho padre.

---

[416] Francés. Onomatopeya que imita el ruidito producido por el roce de una tela, especialmente la de un vestido de mujer. Es más que probable, por otro lado, que Cambaceres, tan fino conocedor del teatro y de la ópera, tuviera presente *Frou-frou* (1869), una comedia en cinco actos de Henri Meilhac (1831-1897) y Ludovic Halévy (1834-1908), dos célebres parisinos, autores de numerosos libretos de operetas, como *La vida parisiense* de Offenbach.

[417] 1.ª ed.: *una pila*.

[418] Francés. Palco lateral que da a la escena.

[419] 1.ª ed.: *de ojos negros, grandes*.

[420] Lanza rudimentaria, caña o palo provisto de un rejón de hierro.

Por él, obligado ahora a vivir en obsequio de su hija, reatado a la existencia por ese nuevo vínculo de hierro, sin ni siquiera ser dueño de su bulto, libre de acabar por agujerearse el cráneo...

Por ella, ¡la infeliz!, condenada a recorrer la *vía crucis* de su sexo.

Y un sentimiento desnatural y salvaje lo invadía, emanado de la intensidad misma de su afecto, y llegando a imaginarse convencido de que mil veces preferible a todo es el reposo absoluto de la tumba, en bien de la niñita, él, su padre, iba por momentos hasta anhelar su fin...

¡Extraña, curiosa aberración!, y temblaba, sin embargo, en presencia del más remoto asomo de peligro para la vida de su hija, y se estremecía por ella, horrorizado a la idea sola de la muerte, ese enemigo implacable y traidor que no se ve, emboscado entre las sombras del futuro, pero cuya presencia se siente y se adivina, como se siente el abismo al atravesar el mar, como se adivina el precipicio al cruzar de noche el camino de la montaña.

XXXV

Una palabra, una gracia, una caricia de su hijita, no tardaba en llevar de nuevo la tranquilidad y la calma al espíritu de Andrés, desvaneciendo como por encanto esas nubes pasajeras, tristes vestigios de una época sombría y dolorosa.

Se sentía como purificado en presencia de la niñita, capaz de todas las virtudes, accesible a la bondad, inclinado a la indulgencia.

Una inconsciente necesidad emanaba del fondo de su alma, como un deseo imperioso, imprescindible de personificar en alguien, de encarnar en una entidad extraña y superior la causa de todo el bienestar de que gozaba.

¿Bastaba acaso buscarla, resignarse a tener[421] su explicación en las alternativas, en los azares de la vida, en el destino, en la suerte?

El helado vacío de esas palabras producía en él una afligente impresión de soledad y desamparo, como si vagara perdido entre tinieblas.

Lo que el azar hacía hoy, podía deshacerlo mañana... ¡Ay de él, de su hija!, ¡ay de su felicidad entonces!

Y ante la horrible amenaza, un secreto sentimiento lo asaltaba, hecho de egoísmo, de debilidad, de cobardía, y queriendo creer y temiendo no llegar a conseguirlo, obstinadamente se empeñaba en cerrar los ojos a la importuna luz de su razón.

Contra todo, a pesar de todo y porque sí, se esforzaba por remontarse en alas de una fe ficticia hasta la noción de Dios.

---

[421] 1.ª ed.: *conformarse con tener.*

XXXVI

Todo, por otra parte, le sonreía.

Su situación cada día era más propicia; los quebrantos sufridos en su fortuna, el vacío dejado en ella por los gastos insensatos de una vida de desorden, poco a poco se colmaba.

En el tiempo transcurrido había logrado cancelar la hipoteca de su estancia.

Con el aumento de las haciendas en ese año y el producto de las lanas que estaba almacenando ya, esperaba poder dejar asegurada la fortuna de su Andrea y, libre de preocupaciones enojosas, consagrarse por completo a la educación y porvenir[422] de la chiquita.

¡Quién sabe!..., después, más tarde, iría[423] a Europa... se establecería en París, la pondría en el *Sacré-Coeur*[424].

Pero como si entre las leyes ocultas que gobiernan el universo existiera una, bárbara, monstruosa, exclusivamente destinada a castigar por el delito de haber gozado alguna vez, el sueño acariciado por Andrés no debía tardar en disiparse convertido en una ironía sangrienta del destino.

[422] 1.ª ed.: *y felicidad.*

[423] 1.ª ed.: *se iría.*

[424] Eran numerosas las congregaciones del Sagrado Corazón establecidas en Francia y contando con colegios de enseñanza. Lo más probable es que se trate aquí del convento del Sagrado Corazón, un colegio de enseñanza para niñas y adolescentes de familias acomodadas, instalado en el Hotel Biron (77, rue de Varenne; ocupado hoy por el museo Rodin).

XXXVII

Un calor sofocante había reinado todo el día.

Al ocultarse el sol y mientras soltaban del tendal las últimas ovejas esquiladas, se vio aparecer allá, en el horizonte, una mole enorme de sombras.

Parecía venir rodando por el campo, imponente, fantástica, monstruosa.

Súbitos resplandores la atravesaban, como llamaradas entre la espesa humareda de alguna inmensa quemazón[425].

Cambiaba de color. Era oscura primero, casi negra; luego azul, luego gris, de un gris sucio y terroso al acercarse.

De pronto, silbó el viento, los árboles crujieron, se sacudieron, una nube de hojas voló entre una nube de polvo; gruesas gotas salpicaron el suelo, sonaron como tiros en el techo de hierro del galpón, acribillado un momento después por la descarga incesante y furiosa de la lluvia.

Poniéndose los ponchos, tapándose con mantas, con jergas, con cueros de carnero, los peones, interesados y mensuales, a un grito de Andrés corrieron al palenque y subieron a caballo.

Él mismo montó dando el ejemplo y salió a escape, hecho ahora a esa vida, a esas fatigas, habituado a no excusar el contingente de su persona, a ser el primero siempre en los trabajos, ávido de lucro, dominado por la idea del oro, por una ciega ambición de acumular, de aumentar indefinidamente su caudal.

---

[425] En la pampa, incendio de la alta vegetación herbácea.

Corrió a los puestos, a las haciendas, abandonadas durante la esquila al cuidado de mujeres y muchachos, expuestas a que el azote del viento las dispersara, a que el frío matara las ovejas despojadas de su manto protector.

Empleó la tarde entera en dirigir a los peones, acudiendo él personalmente de un lado a otro, juntando puntas de animales extraviados, arreando las majadas, haciéndolas rodear entre las pajas y dándoles así un abrigo para el caso de que el viento se llamara al Sud y la tormenta se trocara en temporal.

Por fin, después de haber impartido las órdenes que su experiencia y su práctica le sugerían, de noche ya, con el caballo rendido de cansancio[426] y fatigado él mismo, llegó de vuelta a la estancia.

---

[426] 1.ª ed.: *con el caballo rendido.*

XXXVIII

La tía Pepa lo esperaba a comer con la niñita.

Fue, de parte de ésta, un coro de lamentos, de exclamaciones y preguntas, al verlo entrar así, todo mojado:

—¡Pobrecito Papá, pobrecito! ¿Tenés frío, tenés nana?

Se movía de un lado para otro[427], se agitaba, se empeñaba en traer la ropa, los botines, todo el ajuar de sus muñecas para que su padre se cambiara.

En la mesa, quiso por fuerza sentarse sobre las rodillas de Andrés, comer en su mismo plato, darle ella misma los bocados, volviéndose a cada instante, pasándole las manitos[428] por la cara, por la barba, besándole los ojos, llenándolo de caricias con esa gracia exquisita y suave, con esa delicadeza encantadora inherente a la mujer en los primeros años de la infancia.

Nunca se había mostrado Andrea tan extremosa con su padre, nunca su afecto instintivo de criatura había tenido mayores ni más francas efusiones.

—Es tarde ya y la noche se ha puesto destemplada y fría.

Llévesela a dormir, señora, acuéstela, no sea que se nos vaya a enfermar, que el cambio brusco de la temperatura le haga daño...

Y, tomando entre sus manos la cabeza de la niñita después que hubo cargado a ésta la tía Pepa y besándola en la frente con inefable fruición:

—Buenas noches, mi angelito querido, mi tesoro, Dios me escuche y te conserve, exclamó Andrés enternecido, suspirando.

---

[427] La 1.ª ed. no trae esta primera parte de la frase; empieza con *se agitaba*.
[428] Forma rioplatense del diminutivo de *mano*.

Retirado al escritorio, del que había hecho su aposento desde el nacimiento de Andrea, largo rato, a pesar del cansancio que sentía, revolviéndose en la cama, desasosegado, calenturiento, en vano trató de conciliar el sueño.

¿Era un triste presagio lo que así lo conmovía, una de esas intuiciones misteriosas, la voz del corazón que no engaña anunciándole alguna desgracia, alguna horrible desgracia?

Pero... ¿qué... qué le podía suceder a él... qué motivos tenía para alarmarse, para recelar del porvenir?

¿No vivía feliz, rico, a cubierto de la miseria por lo menos, tranquilo y contento al lado de su hija, gozando al verla crecer sana, fuerte, linda, ufano de sus encantos, soberbio, orgulloso de decirse padre de aquel ángel?

Sí, cierto..., era cierto todo eso..., pero... ¡pero podía dejar de serlo!...

Y, en el estado de eretismo nervioso que había llegado a apoderarse de él, el mismo sordo malestar, su temor, sus aprensiones de siempre lo asaltaron, el vago y confuso terror latente en él, que llegaba por momentos a amargarle hasta los besos y cariños[429] de su hijita.

En un esfuerzo sin embargo, trató de reaccionar contra esas locas ideas, se las reprochaba como una vergonzosa cobardía, se decía que era nimio, absurdo lo que pensaba, como se dice a los niños que no es nadie el cuco que los asusta.

Se apocaba, se deprimía, empeñado en persuadirse.

¿Cuándo era que había visto él más allá de sus narices, cuándo había atinado a prever nada?

Bastaba que en las mil inseguridades[430], en las mil alternativas de la existencia se anticipara[431] a los sucesos, predijera algo, un acontecimiento, un hecho cualquiera del dominio físico o moral, para que saliesen erradas sus conjeturas, y resultase lo contrario precisamente de lo que había pensado o calculado.

¿Temía que su hija se enfermara, se muriera?

---

[429] 1.ª ed.: *y las caricias.*
[430] 1.ª ed.: *vicisitudes.*
[431] 1.ª ed.: *se hubiera anticipado [...] predicho.*

No podía adquirir más cierto indicio[432] de que iba a vivir sana largos años...

Sí, ¡eran realmente insensatos y pueriles sus sobresaltos!...

En medio de la oscuridad y del silencio de la noche, oía el golpe sordo de la lluvia chocando contra los vidrios, el silbido triste del viento al deslizarse rozando las paredes de la casa y las altas aristas del techo de pizarra.

Pensó en el contratiempo de la tormenta, tan luego al concluir la esquila, en el agua que seguía; debía ser fría, la sentía venir del lado del sud...

Miles de ovejas podían quedar tendidas en el campo, podían ser enormes los perjuicios.

Era eso, a no dudarlo, lo que lo tenía afectado y mal dispuesto... sí[433], esa y no otra en el fondo la razón de su desvelo.

Una pérdida, una contrariedad cualquiera en sus negocios lo impresionaba ahora como si se tratase de una cuestión de vida o muerte...

Era estúpido, ridículo afectarse por miserias semejantes[434]...

¡Bah!, unos cuantos miles de pesos más o menos..., no sería por eso ni más, ni menos feliz su Andrea.

---

[432] 1.ª ed.: *indicio más seguro.*
[433] 1.ª ed.: falta el *sí.*
[434] 1.ª ed.: *por semejantes pequeñeces...*

XXXIX

Repentinamente, horas después, sintió que golpeaban a su puerta; se despertó en sobresalto:

—¡Andrés, Andrés!

—¿Qué?..., entre, señora..., ¿qué hay?

La tía Pepa acababa de abrir.

Pálida, turbada, demudado el semblante, se había acercado con una luz en la mano:

—No sé lo que tiene la chiquita, Andrés...

—La chiquita..., ¿cómo?..., ¿qué dice?..., explíquese, hable señora... ¿qué hay?

—Se ha puesto ronca de pronto, muy ronca..., yo no sé lo que será...

De un salto, sin dejarla continuar, se tiró Andrés de la cama, arrebató la luz de manos de la señora y fuera de sí, aturdido, enajenado, sin comprender, sin discernir otra cosa sino que su hija estaba enferma, subió de a cuatro los escalones.

La encontró en la cama, sentadita, llorando.

Respiraba difícil, fatigosamente, como si el aire pasara al través de un velo por su garganta. La atacaban accesos bruscos de tos, de una tos dura y seca que parecía desgarrarle el pecho.

—¡Qué es eso, mi hijita! —exclamó Andrés, precipitándose sobre ella—, dime dónde te duele, ¿dónde tienes nana?

—¡Nana!...

—Pero, ¿dónde es la nana, mi hija, dime dónde? —insistía arrodillado delante de la cama, palpando nerviosamente la cabeza, la frente, las manos de la niñita.

—Nana, nana —repetía ésta con voz alterada y ronca, percibiéndose apenas sus palabras.

Como si una horrible[435] visión hiriera sus sentidos, como si hubiese visto escrita en aquel instante la sentencia de muerte de su hija, un grito desgarrador salió de boca del padre.

Era crup aquello, sí, era el crup lo que la niñita tenía...

¡Qué otra cosa significaba esa ronquera, esa tos, ese embarazo de la respiración, todo ese cuadro de síntomas declarándose así, traidoramente en medio de la noche!...

—Vaya tía, vaya corriendo, despierte al mayordomo, dígale que se levante, que lo necesito, que venga ahora... ya, ya... —exclamó Andrés empujando a la señora hacia la puerta.

Él mismo corrió a su cuarto, registró los bolsillos de su pantalón que había dejado sobre una silla al desnudarse, sacó sus llaves, abrió la alacena del botiquín, revolvió un momento con mano incierta y trémula los frascos, los cajones, hasta dar al fin con unos envoltorios de papel que sacó y llevó consigo.

Sí, era eso lo que le habían dicho, lo que mandaban los médicos..., un vomitivo, un vomitivo de hemético..., darlo inmediatamente, sin perder un solo instante

—Tome mi hijita, beba lo que le da Papá —dijo con palabra suplicante, acercando el medicamento a la boca de la niñita, así que lo hubo preparado en una copa.

—No, no quiero...

—Es muy rico, mi hija... es papa[436]...

—No, no, caca —hizo ella después de haber humedecido sus labios en el líquido—, caca..., pu..., no quiero —repetía retorciéndose deshecha en llanto, con la voz más apagada cada vez, multiplicando sus esfuerzos en aspirar el aire que le faltaba.

Sin esperar más, el padre la acostó de espaldas; resueltamente la agarró de los dos brazos y manteniéndola así con una mano, inmóvil, a pesar de la viva resistencia que oponía, la obligó con la otra a tragar el vomitivo, derramándoselo por fuerza en la boca.

La tía Pepa, de vuelta ya, entró seguida del mayordomo:

---

[435] 1.ª ed.: *espantosa*.
[436] «Empléase vulgarmente esta palabra, referida a personas o cosas, como calificación enfática equivalente a muy bueno, excelente, macanudo.» (Abad.)

—Haga atar —dijo a éste Andrés—, vaya usted mismo al pueblito y traiga un médico.

Lleve si es necesario a toda su gente, mate la caballada, pero no me salga diciendo después que se ha perdido...

Quiero que corra, que vuele, que vaya y vuelva a rajacincha[437]....

Oiga —agregó llamando al otro que había salido ya a cumplir la orden—, adelante un chasque[438] para ganar tiempo, diga al médico que mi hija se me muere, que creo que es crup lo que tiene, que cobre lo que quiera por su viaje, pero que venga..., que venga inmediatamente..., ¡que se lo pido por Dios!

---

[437] A todo correr del caballo, a escape, rápidamente.
[438] Mensajero.

XL

Fueron mortales para Andrés las horas que transcurrieron.

Pasado el primer momento de nerviosa excitación, provocado en él por la inminencia misma del peligro, su valor, su firmeza de hombre, poco a poco lo abandonaron, se sentía desfallecer en una zozobra invencible, y amilanado y cobarde en presencia de aquel cuerpo de criatura enferma, un desaliento profundo lo invadió.

No, no había remedio, toda esperanza era vana, el crup no perdonaba, nadie escapaba de sus garras...

Recordaba ejemplos de familias conocidas, personas de su relación, amigos suyos cuyos hijos habían muerto de esa horrible enfermedad, éste, aquél, diez, cien, uno entre otros, amante, idólatra de los suyos... y había enterrado a dos de sus criaturas ése, el mismo día.

¡Ah!, si era cierto que había un Dios y si así castigaba Dios a los buenos, ¡qué derecho tenía él, Andrés, para atreverse a esperar la protección del cielo!

Su hijita se le iba a morir, debía morirse, era fatal, lo sentía, lo sabía...

A la luz vacilante del velador, en aquella pieza que horas antes encerraba para Andrés toda la dicha de la vida, como una sombra delante de la cama de la niñita iba y venía.

Febriciente, en la impaciencia de la espera consultaba el reloj a cada paso.

Villalba debía haber pasado ya el arroyo, seguido la huella, dejado a trasmano la pulpería... ¡Como no fuese a errar el rumbo con aquella noche infame!...

219

La violencia del dolor lo embargaba por momentos, se llevaba las manos al cuello como queriendo arrancarse la opresión que anudaba su garganta, los ojos se le llenaban de lágrimas, tenía que hacer esfuerzos sobrehumanos para contenerse, para reprimir un deseo loco de estallar, de ponerse a llorar a gritos, como una mujer, como una criatura.

El medicamento, sin embargo, parecía haber provocado una reacción favorable; la respiración era menos afanosa, la tos había cesado, en una calma relativa pudo la niñita adormecerse.

Pero un cambio repentino no tardó en sobrevenir; un recrudecimiento del mal se declaró al amanecer, después de algunas horas de reposo, cuando alucinado el padre por esa aparente mejoría, recobraba la esperanza, se decía que eran infundados, insensatos sus temores, que en un exceso de amoroso celo, había visto alzarse el fantasma helado de la muerte allí donde existía sólo un riesgo remoto y pasajero, una indisposición sin importancia, acaso un simple enfriamiento debido a la perturbación atmosférica de la víspera.

Lentas, interminables, las horas sin embargo se sucedían; daban las nueve en el reloj del comedor y el médico no llegaba.

Vanamente, desde una de las ventanas altas, clavaba Andrés los ojos en el camino, esperaba alcanzar a distinguir el carruaje a la distancia.

El carruaje..., el médico..., ¡tal vez era eso la salvación para su Andrea!...

Pero nada..., nadie..., siempre nadie en el horizonte incierto, y nebuloso, velado por la caída incesante de la lluvia.

La chiquita, entretanto, sensiblemente se agravaba.

Su embarazo al respirar se traducía ahora en un trabajo violento, empeñoso, al que parecían concurrir todos los músculos del cuello.

No obstante la energía desplegada, el aire penetraba de una manera pesada, lenta. Se producía a su paso un silbido prolongado y ronco, lastimoso de oír, algo como un extremo llamado a la vida que se escapaba, mientras en las convulsiones de la tos, de una tos catarral, sin timbre, sofocante, la criatura desesperadamente se agitaba.

En esa muda actitud que acaban por provocar los grandes males cuando se está en la impotencia de remediarlos, contemplaba Andrés a su hijita.

Una sorda irritación lo sublevaba, sentía despertarse en él un furor reconcentrado y ciego.

Habría querido que eso que le mataba a su Andrea, la enfermedad cobarde y traidora, revistiese una forma humana, material, fuese un hombre, una fiera, alguien, en fin, contra quien le quedara por lo menos el derecho, el recurso supremo de la defensa, a quien poder herir, matar, él a su vez.

Pero nada le era dado hacer..., nada..., se encontraba desarmado, vencido de antemano en aquella lucha terrible y desigual... Sólo un milagro, sólo Dios podía salvarla.

Dios..., pero, ¡dónde estaba ese Dios, el Dios de misericordia y de bondad, el Dios omnipotente que miraba impasible tamañas iniquidades!

Él..., ¡oh!, ¡él había sido un bellaco, un miserable, que purgara sus culpas, que el cielo lo castigara, era justicia!

Pero ella, la pobrecita, ¡qué había hecho...., ella, la inocente, que ni tiempo de vivir había tenido!

Verla sufrir, verla morir, y resignarse... ¡era espantoso!

¡No, no[439]..., imposible..., algo debía haber..., algo..., algún remedio se conocía que curara, que calmara por lo menos; la ciencia en suma no era una palabra hueca, una ironía!...

Corrió a su cuarto, abrió la biblioteca, sacó un libro de medicina: *Bouchut*[440], *maladies des enfants,* recorrió el índice, buscó el artículo: *Crup,* y ávidamente empezó a leer:

Leía una, dos, tres veces el mismo párrafo, sin saber, sin entender lo que leía, sin que una sola idea se fijara en su cabeza.

Las letras, las palabras, los renglones, pasaban en confusa procesión por delante de sus ojos, sin dejar rastro en él, como pasa la luz por los ojos de los ciegos.

En una enorme tensión intelectual trataba de aplicar sus facultades, concentraba sus esfuerzos de atención, se empeñaba en penetrar el sentido de términos nuevos para él, voces téc-

---

[439] La 1.ª ed. no repite el *no*.
[440] Médico francés, descubridor en 1866 del tubérculo propio de la meningitis tuberculosa que lleva su nombre («tubérculo de Bouchut»).

nicas que hallaba a cada paso y que eran como manchas de tinta que le hubiesen derramado sobre el papel.

Ofuscado, loco, iba a tirar el libro lejos de sí, cuando, bruscamente, la palabra trementina allí escrita, despertó en él una reminiscencia.

Sí, estaba seguro, recordaba perfectamente, era una receta contra el crup, había guardado el recorte del diario, debía tenerlo.

Registró, revolvió largo rato los cajones del escritorio; en uno de ellos halló por fin lo que buscaba.

Era, en efecto, una prescripción dirigida a combatir los estragos de la enfermedad.

Se aconsejaba quemar una mezcla de alquitrán y trementina en la habitación del enfermo; se aseguraba que el efecto era instantáneo, la curación segura y radical.

Cortos momentos después; el líquido ardía en un brasero junto a la cama de Andrea.

Sordamente, al través de la espesa y fétida humareda que despedía, el ruido de la respiración de la niñita, el silbido característico del mal se dejaba percibir lamentable, estertoroso.

Habríase dicho que algún horrible y misterioso atentado se consumaba dentro de las paredes de aquel cuarto.

Pero Andrés y la tía Pepa que, sobrecogidos y mudos de dolor, esperaban tras de la puerta entornada, oyeron de pronto como si en las ansias mortales de la asfixia, el pecho de la desgraciada criatura estallara hecho pedazos.

Después, un silencio..., un silencio profundo..., ¡nada!

¡Mi hija..., mi hijita..., muerta, ha muerto ! —gritó el padre precipitándose a la ventana y abriéndola de par en par, mientras la tía Pepa corría hacia la cama de la chiquita.

Hinchadas las facciones, lívida, los ojos fijos y vidriosos, sin el sudor que brotaba a gotas de su frente y el agitado ritmo de su aliento superficial y corto, se habría creído que en efecto la criatura era un cadáver:

—No, no te asustes... ¡Por Dios! Andrés!, ¡ten calma..., no está muerta..., vive, respira!...

La masa de humo, barrida por el viento, se disipaba.

Andrés, de pie, frente a la cama había clavado la mirada sobre su hija, una mirada dura, siniestra, los ojos desmesuradamente abiertos, las pupilas enormemente dilatadas; una mirada inmóvil[441] de loco.

Quiso hablar; un sonido inarticulado, como un salvaje alarido salió de su garganta.

De un tirón, se arrancó la corbata, se abrió el cuello de la camisa y bruscamente, haciendo crisis el estado de parasismo nervioso en que se hallaba, cayó, se desplomó de rodillas, ocultando el rostro en las almohadas, sollozando.

---

[441] En la 1.ª ed. *inmóvil* viene a continuación de *siniestra*.

XLI

El médico llegó por fin: un muchacho provinciano, pobre, de ésos que, recién salidos de la Facultad de Buenos Aires, sin relaciones en la capital, se resignan a buscar en los pueblos de campo un refugio pasajero contra el hambre, a principiar por ahí.

Examinó detenidamente a Andrea, las manifestaciones locales de la enfermedad, el aspecto de la garganta, cubierta en parte sobre su fondo inflamado y rojo, por una tela blanquizca, semejante al pellejo que se desprende de una quemadura, el pulso, la fiebre, el estado general de la chiquita y, sin perder un instante, con gesto a la vez resuelto y tranquilo:

—Necesito que usted me ayude, señor; vamos a hacerle una pequeña curación.

—¿Es crup?

—Mucho me lo temo —dijo echando mano de un paquete que había llevado consigo.

Pero notando luego la impresión que sus palabras acababan de producir sobre el ánimo del padre y queriendo cambiar, atenuar, cuando menos, el alcance que tenían:

¡Oh!, no lo afirmo de una manera absoluta..., bien puedo equivocarme.

El crup, por otra parte, no siempre es mortal; se sana de eso como de cualquier otra enfermedad...

Vea señor, me la va a tener de la cabecita; fuerte, que no se mueva —agregó concluyendo de poner los remedios sobre la mesa de luz.

Así que Andrés hubo hecho lo que el médico le decía, manteniendo éste abierta la boca de la niñita y apretándole la lengua con el índice de la mano izquierda, empezó con la derecha a revolverle un pincel en la garganta.

Varias veces lo metió dentro de uno de los frascos, repitió otras tantas la operación, agachado, mirando, con pulso sereno y fijo, sin lástima, brutal, cruelmente.

Un líquido hediondo y viscoso, una bocanada de flemas sanguinolentas, chorreó[442] al fin de la boca de Andrea en una arcada.

Terminada la curación cuyo efecto inmediato fue una aparente tregua del mal, quiso el médico conocer lo que desde un principio había sucedido, el precedente estado de salud de la chiquita, los síntomas que había experimentado, si se le había hecho algún remedio; y, una vez en posesión de estos datos, determinó el tratamiento, dio sus instrucciones a la tía, llegando a constituirse él mismo en enfermero.

---

[442] 1.ª ed.: *salió.*

XLII

El resto del día se siguió sin alteración notable en el estado de Andrea.

La fiebre persistía, elevada, intensa; la debilidad, la ronquera, la sofocación de la voz eran constantes, llegando a ratos hasta una afonía completa.

La niñita lloraba, hablaba, se quejaba; nada se percibía, ningún sonido hería el oído.

Pero estos accidentes se modificaban en los golpes de tos. La voz volvía, la respiración se despejaba, un alivio coincidía con la remoción de las secreciones catarrales que Andrea tragaba o arrojaba por la boca.

De tiempo en tiempo, le cauterizaba el médico la garganta, la obligaba a tomar una cucharada de bebida, un segundo vomitivo fue ordenado; la acción de la naturaleza era así secundada por el auxilio de la ciencia.

Pálido, abatido, desfigurado, acusando haber sufrido en pocas horas lo que sólo es posible sufrir en largos años, permanecía Andrés al lado de su hija, sin apartarse de ella un solo instante, sin querer salir del cuarto, rehusando alimentarse, reposar, dormir.

La tía Pepa empeñada en persuadirlo, en consolarlo, lo exhortaba.

¿Qué ganaba con afligirse así; sanaría por eso la chiquita?

Él mismo podía enfermarse y sería mil veces peor. Por ella pues, ya que no en obsequio propio, debía mostrarse razonable.

Invocaba la opinión del médico, apelaba a su testimonio. Las criaturas no se criaban sin tener enfermedades, sin sufrir ellas también.

226

¡Cómo había de ser!... alguna vez había de tocarle a la pobrecita, quién no pasaba trabajos en la vida. ¡Dios los mandaba, no había más que conformarse!...

Al fin, ante las repetidas instancias de la señora, consintió Andrés en beber un poco de caldo.

Salió luego por pedido del médico, a tomar un momento el aire con éste, a fumar juntos un cigarro.

El cielo había empezado a despejarse; el pampero soplaba fresco y seco; las nubes, apuradas, se cortaban, corrían unas tras otras como queriendo alcanzarse; iban al este, a las sombras, a la noche, mientras el sol, brillando en el ocaso, parecía mirarlas soberbio de su triunfo.

De vez en cuando, el médico y Andrés cambiaban una palabra.

Era una pregunta del padre, del padre que poseído de la idea de un desenlace fatal, ¡extraña contradicción!, buscaba sin embargo pábulo a su esperanza, a una esperanza que no tenía, como, aun al pie del cadalso, mira el condenado a muerte si le llega su perdón.

¿Duraba mucho el crup, en cuánto tiempo mataba, y ese alivio, esos desahogos repentinos que se observaban en la respiración, debía ser bueno, eso?... ¿qué significaban, denotaban una disminución del mal, podían ser considerados como un síntoma propicio, o eran otras tantas engañosas alternativas durante el curso de la cruel enfermedad?

En la embarazosa situación en que se encontraba[443], midiendo el alcance de sus palabras, haciendo sus salvedades, sus reservas, trataba el médico de reanimar el abatido espíritu de Andrés.

Sin ocultar el estado grave de la niñita, afirmaba que no era un caso desesperado, que podía ésta sanar, la fiebre declinar de un momento a otro, que esas bruscas remisiones de la sofocación eran provocadas a veces por la expulsión total de las falsas membranas de la laringe y de la traquea, y que una creciente y franca mejoría solía desde entonces declararse.

---

[443] 1.ª ed.: *se hallaba.*

El silencio caía de nuevo, pesado y triste. Ambos continuaban caminando, haciendo crujir bajo sus pies la tosquilla de los caminos:

—¿Cómo va la nenita, patrón? —preguntó una voz a espaldas de ambos.

Era Villalba. Humildemente se había detenido a la distancia, descubierto.

—Como el diablo, por morirse...

—¡No ha de querer Dios!

¿Sabe que hemos andado medio mal, patrón, causa de la tormenta? —agregó al cabo de un momento con gesto embarazado y zurdo, revolviendo el sombrero entre sus manos—, han sido con demasía las pérdidas; el tendal de ovejas muertas ha quedado por el campo... el agua tan por demás fría y los pobres animales recién pelados, por fuerza tenían que engarrotarse...

Para peor, una punta grande de vacas ha enderezado a los alambres y se ha azotado al arroyo, ahogándose muchas de ellas.

—Y eso, ¿a mí qué me importa, qué me lo viene a decir? ¡A ver como no se mueren todas!...

¡Imbécil!... como para ocuparse de vacas estaba él...

XLIII

Fue en la mañana siguiente, después de una noche cruel de sufrimientos y en presencia de los progresos cada vez mayores de la enfermedad, que el médico se resolvió a operar a Andrea.

La fiebre, sin embargo, había cedido; sucediéndose a intervalos más distantes cada vez, habían cesado los accesos de la tos.

No era ya, al respirar, el silbido largo y ronco que se dejaba oír, así a la entrada como a la salida del aire, y si bien en el movimiento inspiratorio un ligero ruido persistía, la expiración se hacía en silencio. En la nueva faz que revestía la enfermedad, la niñita parecía descansar, profundamente dormida.

Pero esos síntomas, halagadores para el padre, lejos de tranquilizar al médico, fueron a sus ojos seguro[444] pronóstico de un fin cercano; esa calma, esa quietud, la postración, la modorra que precede en ciertos casos a la muerte.

Y cuando, poco después, vio que la enferma con dificultad era arrancada a la especie de letargo en que yacía, que una insensibilidad completa se operaba en determinadas partes de su cuerpo y que, abultadas y duras las venas del pescuezo, una rojez lívida coloreaba su rostro, como si la presión del aire le faltara, como si el vacío se operara en torno suyo, sin perder un minuto, llamó al padre:

—Es de todo punto necesario, indispensable, señor —le dijo—, que su hijita sufra una operación.

---

[444] 1.ª ed.: *el triste.*

La única salvación posible para ella depende del éxito de este recurso extremo.

Usted es hombre, pero usted es padre..., vaya, retírese y mande[445] a alguien que me ayude, será mejor, créamelo..., por usted, por mí mismo se lo aconsejo, se lo pido.

—¡Dejarla a mi hija, yo! ¡No doctor, no me pida eso, no puedo, es imposible! —repuso Andrés sacudiendo tristemente la cabeza, mientras en las frías inflexiones de su voz, una voluntad inquebrantable, una estoica resolución se descubría:

Esté tranquilo, por lo demás..., no me ha de faltar valor —agregó—, usted lo ha dicho: soy hombre...

Comprendiendo el médico que habría sido vana tarea[446] empeñarse en disuadirlo, pero temiendo, no obstante la entereza de que se mostraba animado, que en aquella dura prueba flaqueara su corazón de padre:

—Convendría que viniese otra persona más, que hiciese usted llamar a su encargado.

Con las señoras no debe uno contar en estos casos.

[445] 1.ª ed.: *y mándeme.*
[446] 1.ª ed.: *habría sido vano.*

XLIV

Fue acostada Andrea sobre una mesa, boca arriba, volviendo la espalda a la luz de la ventana.

El médico le había apoyado la cabecita sobre una almohada, tanteando la altura, apretando la lana, esponjándola luego un poco más.

Parado a la izquierda de la niñita y mientras recomendaba a Andrés y a Villalba, situados hacia el lado opuesto, que trataran de impedir todo movimiento en aquella, se apoderó de un instrumento entre los varios que al alcance de su mano se veían sobre la mesa: dos pequeñas hojas de acero, una especie de tenaza, un tubo encorvado de metal.

Inclinado sobre Andrea, con los dedos de la mano izquierda empezó a palparle el pescuezo, como buscando algo, como queriendo fijarlo, asegurarlo; los detuvo, y delicadamente entonces, en medio del índice y del pulgar, pegó un tajo.

Unas cuantas gotas de sangre brotaron, de sangre espesa y subida de color, casi negra.

Abiertos los labios de la herida y por entre los tejidos blancos de los tendones que se descubrían en el fondo, iba el médico a seguir cortando, cuando una conmoción violenta de la criatura, algo como una postrera tentativa de su naturaleza en busca de aire, toda entera la sacudió:

—¡Ténganla[447] fuerte, no me la dejen mover!

---

[447] 1.ª ed.: *Ténganmela.*

Y, sin soltar el cuello de la niñita y sin apartar el instrumento de la herida no obstante el momento de vacilación que se siguió, resueltamente acabó de abrir.

Fue como cuando el agua se sume, un ruido áspero y gordo al penetrar el aire por entre sangre y cuajarones de flemas... Fue a la vez como un prodigio sobrehumano, como un milagro de resurrección.

Debatiéndose en las convulsiones de la asfixia, la niñita se moría.

Pocos segundos después la tirantez de las venas, la hinchazón de los miembros, el tinte azulado de la piel, todos los síntomas de una segura y próxima agonía habían cesado; un soplo nuevo de vida entraba por aquella boca artificial.

A duras penas pudo soportar Andrés hasta el fin la vista de aquel horrible espectáculo. La desgraciada criatura le hacía el efecto de un cordero degollado.

Y, mientras el médico terminaba su dolorosa tarea, envolvía un pedazo de tela transparente en derredor del cuello de la niñita, vacilante, desfalleciente, bamboleándose como un borracho, el padre salió del cuarto.

Apoyado a la puerta, a las paredes, agarrado del pasamano de la escalera, trastornada, perdida la cabeza, bajó, se encontró sin saber cómo en su aposento, solo:

—Sálvala, sálvala —exclamó caído de rodillas, entrecruzando los dedos de las manos sobre el pecho, alzando suplicante la mirada, corriendo el llanto[448] de sus ojos—, ¡Dios, Dios mío, Dios eterno... sí, creo en ti, creo en todo, con tal de que me la salves!...

---

[448] 1.ª ed.: *corriendo a chorros el llanto.*

XLV

Y Dios no se la salvó.

La enfermedad, el agente misterioso, el adversario implacable siguió avanzando terreno, la infección secundaria invadiendo el organismo de la desdichada criatura, pudriéndola en vida el virus ponzoñoso de la difteria.

Y todo fue en vano; los recursos, los remedios, los paliativos supremos de la ciencia, el ardiente empeño del médico, el amoroso anhelo del padre, el fervor religioso de la tía, todo el arsenal humano, todo fue a estrellarse contra el escollo de lo desconocido, de lo imposible..., tres días después de haber caído enferma, Andrea dejó de sufrir.

Como si se hubiesen secado en Andrés las fuentes del sentimiento, como si el dolor lo hubiese vuelto de piedra, ni una lágrima lloraron sus ojos, ni una queja salió de sus labios, ni una contracción arrugó su frente; impasible[449] la vio morir, la veía muerta.

El médico, compadecido, hizo por llevárselo de allí.

Se rehusó secamente. Quiso que lo dejaran solo, lo pidió, lo exigió y junto al lecho de su Andrea, que la tía Pepa bañada en llanto había sembrado de flores, se dejó quedar sobre una silla, inmóvil, abrumado, anonadado...

De noche y tarde ya, abandonó su asiento.

Con el frío y sereno aplomo que comunican las grandes, las supremas resoluciones, había dado algunos pasos en direc-

---

[449] 1.ª ed.: *impasible y mudo.*

233

ción al otro extremo de la pieza, cuando un brusco resplandor penetró por la ventana, rojo, siniestro, contrastando extrañamente con la luz blanca de la luna.

Se detuvo Andrés y miró: el galpón de la lana estaba ardiendo. Anchas bocas de fuego reventaban par el techo, por las puertas; las llamas, serpenteando, lamían el exterior de los muros como azotados de intento con un líquido inflamable.

Poco a poco el edificio entero se abrasaba, era una enorme hoguera, y a su luz, allá, detrás del monte, por las abras[450] de los caminos, habría podido alcanzarse a distinguir un bulto, como la sombra de un hombre que se venga y huye.

Andrés, él, nada vio, ni un músculo de su rostro se contrajo en presencia de aquella escena de ruina y destrucción.

Imperturbable, siguió andando, llegó hasta descolgar de la pared un cuchillo de caza, un objeto de precio[451], una obra de arte que, junto con otras armas antiguas, tenía allí, en una panoplia.

Volvió, se sentó, se desprendió la ropa, se alzó la falda de la camisa, y tranquilamente, reflexivamente, sin fluctuar, sin pestañear, se abrió la barriga en cruz, de abajo arriba y de un lado a otro, toda...

Pero los segundos, los minutos se sucedían y la muerte así mismo no llegaba. Parecía mirar con asco esa otra presa, harta, satisfecha de su presa.

Entonces, con rabia, arrojando el alma:

—¡Vida perra, puta... —rugió Andrés—, yo te he de arrancar de cuajo!...

Y recogiéndose las tripas y envolviéndoselas en torno de las manos, violentamente, como quien rompe una piola[452], pegó un tirón.

Un chorro de sangre y de excrementos saltó, le ensució la cara, la ropa, fue a salpicar sobre la cama el cadáver de su hija, mientras él, boqueando, rodaba por el suelo...

---

450 Claros, lugares despejados.
451 1.ª ed.: *un objeto precioso.*
452 Soga, cuerda.

El tumulto, abajo, se dejaba oír, los gritos de la peonada por apagar el incendio.

La negra espiral de humo, llevada por la brisa, se desplegaba en el cielo como un inmenso crespón.

FIN

Colección Letras Hispánicas

ÚLTIMOS TÍTULOS PUBLICADOS

525 *La fuente de la edad*, LUIS MATEO DÍEZ.
Edición de Santos Alonso (2.ª ed.).

526 *En voz baja. La amada inmóvil*, AMADO NERVO.
Edición de José María Martínez.

528 *Contrapunteo cubano del tabaco y el azúcar*, FERNANDO ORTIZ.
Edición de Enrico Mario Santí.

529 *Desde mi celda*, GUSTAVO ADOLFO BÉCQUER.
Edición de Jesús Rubio Jiménez.

530 *El viaje a ninguna parte*, FERNANDO FERNÁN-GÓMEZ.
Edición de Juan A. Ríos Carratalá (2.ª ed.).

531 *Cantos rodados (Antología poética, 1960-2001)*, JENARO TALENS.
Edición de J. Carlos Fernández Serrato.

532 *Guardados en la sombra*, JOSÉ HIERRO.
Edición de Luce López-Baralt (2.ª ed.).

533 *Señora Ama. La Malquerida*, JACINTO BENAVENTE.
Edición de Virtudes Serrano.

534 *Redoble por Rancas*, MANUEL SCORZA.
Edición de Dunia Gras.

535 *La de San Quintín. Electra*, BENITO PÉREZ GALDÓS.
Edición de Luis F. Díaz Larios.

536 *Siempre y nunca*, FRANCISCO PINO.
Edición de Esperanza Ortega.

537 *Cádiz*, BENITO PÉREZ GALDÓS.
Edición de Pilar Esterán.

538 *La gran Semíramis. Elisa Dido*, CRISTÓBAL DE VIRUÉS.
Edición de Alfredo Hermenegildo.

539 *Doña Berta. Cuervo - Superchería*, LEOPOLDO ALAS «CLARÍN».
Edición de Adolfo Sotelo Vázquez.

540 *El Cantar de los Cantares de Salomón (Interpretaciones literal y
espiritual)*, FRAY LUIS DE LEÓN.
Edición de José María Becerra Hiraldo.

541 *Cancionero*, GÓMEZ MANRIQUE.
Edición de Francisco Vidal González.

542 *Exequias de la lengua castellana*, JUAN PABLO FORNER.
Edición de Marta Cristina Carbonell.

543 *El lenguaje de las fuentes*, GUSTAVO MARTÍN GARZO.
Edición de José Mas.

544 *Eva sin manzana. La señorita. Mi querida señorita. El nido,* JAIME DE ARMIÑÁN.
Edición de Catalina Buezo.

545 *Abdul Bashur, soñador de navíos,* ÁLVARO MUTIS.
Edición de Claudio Canaparo.

546 *La familia de León Roch,* BENITO PÉREZ GALDÓS.
Edición de Íñigo Sánchez Llama.

547 *Cuentos fantásticos modernistas de Hispanoamérica.*
Edición de Dolores Phillipps-López.

548 *Terror y miseria en el primer franquismo,* JOSÉ SANCHIS SINISTERRA.
Edición de Milagros Sánchez Arnosi.

549 *Fábulas del tiempo amargo y otros relatos,* MARÍA TERESA LEÓN.
Edición de Gregorio Torres Nebrera.

550 *Última fe (Antología poética, 1965-1999),* ANTONIO MARTÍNEZ SARRIÓN.
Edición de Ángel L. Prieto de Paula.

551 *Poesía colonial hispanoamericana.*
Edición de Mercedes Serna.

552 *Biografía incompleta. Biografía cotinuada,* GERARDO DIEGO.
Edición de Francisco Javier Díez de Revenga.

553 *Siete lunas y siete serpientes,* DEMETRIO AGUILERA-MALTA.
Edición de Carlos E. Abad.

554 *Antología poética,* CRISTÓBAL DE CASTILLEJO.
Edición de Rogelio Reyes Cano.

555 *La incógnita. Realidad,* BENITO PÉREZ GALDÓS.
Edición de Francisco Caudet.

556 *Ensayos y crónicas,* JOSÉ MARTÍ.
Edición de José Olivio Jiménez.

557 *Recuento de invenciones,* ANTONIO PEREIRA.
Edición de José Carlos González Boixo.

558 *Don Julián,* JUAN GOYTISOLO.
Edición de Linda Gould Levine.

559 *Obra poética completa (1943-2003),* RAFAEL MORALES.
Edición de José Paulino Ayuso.

560 *Beltenebros,* ANTONIO MUÑOZ MOLINA.
Edición de José Payá Beltrán.

561 *Teatro breve entre dos siglos (Antología).*
Edición de Virtudes Serrano.

562 *Las bizarrías de Belisa,* LOPE DE VEGA.
Edición de Enrique García Santo-Tomás.

563 *Memorias de un solterón*, EMILIA PARDO BAZÁN.
   Edición de M.ª Ángeles Ayala.
564 *El gesticulador*, RODOLFO USIGLI.
   Edición de Daniel Meyran.
565 *En la luz respirada*, ANTONIO COLINAS.
   Edición de José Enrique Martínez Fernández.
566 *Balún Canán*, ROSARIO CASTELLANOS.
   Edición de Dora Sales.
567 *Capítulos que se le olvidaron a Cervantes*, JUAN MONTALVO.
   Edición de Ángel Esteban.
568 *Diálogos o Coloquios*, PEDRO MEJÍA.
   Edición de Antonio Castro Díaz.
569 *Los premios*, JULIO CORTÁZAR.
   Edición de Javier García Méndez.
570 *Antología de cuentos*, JOSÉ JIMÉNEZ LOZANO.
   Edición de Amparo Medina-Bocos.
571 *Apuntaciones sueltas de Inglaterra*, LEANDRO FERNÁNDEZ DE
   MORATÍN.
   Edición de Ana Rodríguez Fischer.
572 *Ederra. Cierra bien la puerta*, IGNACIO AMESTOY.
   Edición de Eduardo Pérez-Rasilla.
573 *Entremesistas y entremeses barrocos*.
   Edición de Celsa Carmen García Valdés.
574 *Antología del Género Chico*.
   Edición de Alberto Romero Ferrer.
575 *Antología del cuento español del siglo XVIII*.
   Edición de Marieta Cantos Casenave.
576 *La celosa de sí misma*, TIRSO DE MOLINA.
   Edición de Gregorio Torres Nebrera.
577 *Numancia destruida*, IGNACIO LÓPEZ DE AYALA.
   Edición de Russell P. Shebold.
578 *Cornelia Bororquia o La víctima de la Inquisición*, LUIS GUTIÉRREZ.
   Edición de Gérard Dufour.
579 *Mojigangas dramáticas (siglos XVII y XVIII)*.
   Edición de Catalina Buezo.
580 *La vida difícil*, ANDRÉS CARRANQUE DE RÍOS.
   Edición de Blanca Bravo.
581 *El pisito. Novela de amor e inquilinato*, RAFAEL AZCONA.
   Edición de Juan A. Ríos Carratalá.
582 *En torno al casticismo*, MIGUEL DE UNAMUNO.
   Edición de Jean-Claude Rabaté.